Manuel Bandeira Antologia poética

Manuel Bandeira Antologia poética

Coordenação Editorial
André Seffrin

global
editora

© **Condomínio dos Proprietários dos Direitos Intelectuais de Manuel Bandeira**
Direitos cedidos por Solombra – Agência Literária (solombra@solombra.org)
6ª Edição, Global Editora, São Paulo 2013
4ª Reimpressão, 2022

Jefferson L. Alves – diretor editorial
Gustavo Henrique Tuna – editor-assistente
André Seffrin – coordenação editorial, estabelecimento de texto, cronologia e bibliografia
Flávio Samuel – gerente de produção
Julia Passos e Tatiana F. Souza – assistentes editoriais
Tatiana Y. Tanaka – revisão
Victor Burton – capa
Evelyn Rodrigues do Prado – projeto gráfico

Capa: Foto de Hélio Santos (*Manchete*); p. 7: Foto de Sascha Harnisch. Ambas pertencem ao Acervo Pessoal de Manuel Bandeira, ora em guarda no Arquivo-Museu de Literatura Brasileira/Fundação Casa de Rui Barbosa – RJ.

A Global Editora agradece à Solombra – Agência Literária pela gentil cessão dos direitos de imagem de Manuel Bandeira.

© Herdeiros de Juan Jamón Jiménez

© Acervo Marc e Ida Chagall, Paris
© Éditions Cramer, Genebra

© Éditions Gallimard 1947 e 1968

Todas as iniciativas foram tomadas no sentido de obter autorização para reprodução, o que não foi possível em todos os casos. Caso os autores se manifestem, a editora se dispõe a estabelecer o copyright.

CIP-BRASIL. CATALOGAÇÃO NA FONTE
SINDICATO NACIONAL DOS EDITORES DE LIVROS, RJ

B166a

Bandeira, Manuel, 1886-1968
    Antologia poética / Manuel Bandeira ; [organização Manuel Bandeira ; coordenação André Seffrin]. – [6.ed.]. – São Paulo : Global, 2013.

    Inclui bibliografia e índice
    ISBN 978-85-260-1772-6

    1. Bandeira, Manuel, 1886-1968. 2. Antologias (Poesia brasileira). I. Seffrin, André, 1965-. II. Título.

12-7485.   CDD: 869.91
                                    CDU: 821.134.3(81)-1

Obra atualizada conforme o
NOVO ACORDO ORTOGRÁFICO DA LÍNGUA PORTUGUESA

Global Editora e Distribuidora Ltda.
Rua Pirapitingui, 111 — Liberdade
CEP 01508-020 — São Paulo — SP
Tel.: (11) 3277-7999
e-mail: global@globaleditora.com.br

 globaleditora.com.br   @globaleditora
 /globaleditora   @globaleditora
 /globaleditora   /globaleditora
           blog.grupoeditorialglobal.com.br

 Direitos reservados.
Colabore com a produção científica e cultural.
Proibida a reprodução total ou parcial desta obra sem a autorização do editor.

Nº de Catálogo: **3476**

Antologia poética

Sumário

PREFÁCIO DA 1ª EDIÇÃO 17

A CINZA DAS HORAS 19

Epígrafe 21

Desencanto 22

A Camões 23

A Antônio Nobre 24

Versos escritos n'água 25

Chama e fumo 26

A canção de Maria 28

Cartas de meu avô 29

Poemeto irônico 31

Poemeto erótico 33

Ingênuo enleio 35

Boda espiritual 36

Desalento 37

Um sorriso 39

Desesperança 40

Renúncia 41

CARNAVAL 43

Bacanal 45

Os sapos 46

Vulgívaga 49

A rosa 51

Pierrot místico 53

Debussy 55

Pierrette 56

O descante de Arlequim 58

A Dama Branca 59

Hiato 61

Toante 62

Alumbramento 63

Sonho de uma terça-feira gorda 64

Poema de uma quarta-feira de cinzas 66

Epílogo 67

O RITMO DISSOLUTO 69

O silêncio 71

O menino doente 72

Balada de Santa Maria Egipcíaca 73

Felicidade 75

Murmúrio d'água 76

Mar bravo 78

Carinho triste 80

Bélgica 81

Os sinos 82

Madrigal melancólico 84

A estrada 86

Meninos carvoeiros 87

Sob o céu todo estrelado 88

Noturno da Mosela 89

Gesso 90

Noite morta 91

Na Rua do Sabão 92

Berimbau 94

Balõezinhos 95

LIBERTINAGEM 97

Não sei dançar 99

O anjo da guarda 101

Pensão familiar 102

O cacto 103

Pneumotórax 104

Poética 105

Porquinho-da-índia 107

Mangue 108

Belém do Pará 110

Evocação do Recife 112

Poema tirado de uma notícia de jornal 116

Teresa 117

Lenda brasileira 118

A Virgem Maria 119

O major 120

Andorinha 121

Profundamente 122

Madrigal tão engraçadinho 124

Noturno da Parada Amorim 125

Noturno da Rua da Lapa 126

Irene no céu 127

Namorados 128

Vou-me embora pra Pasárgada 129

O impossível carinho 131

Poema de finados 132

O último poema 133

ESTRELA DA MANHÃ 135

Estrela da manhã 137

Canção das duas Índias 139

Poema do beco 140

Balada das três mulheres do sabonete Araxá 141

A filha do rei 142

Cantiga 143

Marinheiro triste 144

Boca de forno 146

Oração a Nossa Senhora da Boa Morte 148

Momento num café 149

Contrição 150

Sacha e o poeta 151

Jacqueline 152

D. Janaína 153

Trem de ferro 154

Tragédia brasileira 156

Rondó dos cavalinhos 157

Flores murchas.. 158

A estrela e o anjo 160

Lira dos cinquent'anos 161

Ouro Preto 163

O martelo 164

Maçã... 165

Cossante... 166

Cantar de amor 167

Versos de Natal.. 168

Soneto italiano.. 169

Soneto inglês nº 1 170

Soneto inglês nº 2 171

Água-forte... 172

A morte absoluta 173

A estrela 174

Mozart no céu.. 175

Canção da Parada do Lucas 176

Canção do vento e da minha vida 177

Canção de muitas Marias 178

Rondó do capitão... 180

Última canção do beco.. 181

Belo belo 183

Acalanto de John Talbot 184

Testamento 185

Gazal em louvor de Hafiz.. 186

Ubiquidade 187

Piscina.. 188

Peregrinação 189

Eu vi uma rosa 190

Velha chácara... 192

Carta de brasão 193

Belo belo 195

Brisa... 197

Poema só para Jaime Ovalle 198

Escusa 199

Tema e voltas 200

Canto de Natal 201

Sextilhas românticas 202

Improviso 204

O homem e a morte 205

Letra para uma valsa romântica 207

No vosso e em meu coração 208

A Mário de Andrade ausente 210

O lutador 212

Belo belo 213

Neologismo 214

A realidade e a imagem 215

Poema para Santa Rosa 216

Resposta a Vinicius 217

Visita noturna 218

José Cláudio 219

O rio 221

Nova poética 222

Unidade 223

Arte de amar 224

As três Marias 225

Flor de todos os tempos 227

Opus 10 229

Boi morto 231

Cotovia 232

Tema e variações 234

Elegia de verão 235

Natal sem sinos 236

Retrato 237

Noturno do Morro do Encanto 238

Os nomes 239

Consoada 240

Lua nova 241

Cântico dos cânticos 242

Oração para aviadores 243

ESTRELA DA TARDE 245

Acalanto 247

Satélite 248

Ovalle 249

A ninfa 250

Ad instar Delphini 251

Vita nuova 252

Versos para Joaquim 253

Variações sérias em forma de soneto 254

Embalo 255

A lua 256

Elegia de Londres 257

Mal sem mudança 259

Peregrinação 260

Antônia 261

Sonho branco 262

Verde-negro 263

Mascarada 264

Preparação para a morte 266

Canção para a minha morte 267

Flabela 268

A onda 269

Carlos Drummond de Andrade 270

Balada para Isabel 271

Primeira canção do beco 273

Irmã 274

Nu 275

Elegia para Rui Ribeiro Couto 277

O fauno 278

Poema do mais triste maio 280

Minha grande ternura 281

POEMAS TRADUZIDOS 283

Noturno 285

Dor 287

Oração 288

Torso arcaico de Apolo 289

Calefrio aquerôntico 290

O fatal 291

Em seu lugar 292

Acalanto para Deus Menino 293

Quatro haicais de Bashô 294

Metade da vida 295

Quatro sonetos de Elizabeth Barrett Browning 296

Canção 299

Tríade 300

Soneto 301

Branco 302

Epitáfio 303

Um poema de Chagall 304

MAFUÁ DO MALUNGO 307

Temístocles da Graça Aranha 309

Ana Margarida Maria 310

Verlaine 311

Elisa 312

Sílvia Amélia 313

Duas Marias 314

Francisca 315

Rosa Francisca Adelaide 316

Murilo Mendes 317

Teu nome 318

Eunice Veiga 319

Mag 320

Raquel 321

Helena Maria 322

A Guimarães Rosa 323

Edmée 324

Allinges 325

Oitava camoniana para Fernanda 326

Marisa 327

Saudação a Vinicius de Moraes 328

Autorretrato 330

"Casa-Grande & Senzala" 331

Carta-poema 333

Trova 335

A Afonso 336

A espada de ouro 337

Elegia de agosto 338

O obelisco 339

Cronologia 341

Bibliografia básica sobre Manuel Bandeira 349

Índice de primeiros versos 355

Prefácio da 1ª Edição

Esta é a sétima antologia que faço de meus poemas. A primeira foi editada em 1937 pela Civilização Brasileira sob o título *Poesias escolhidas*. A segunda, lançada em 1948 pelos Irmãos Pongetti, reproduzia a primeira, aumentada de poemas publicados entre aquelas duas datas. A terceira, organizei-a em 1958* para a coleção Cadernos de Cultura, publicação do Serviço de Documentação do Ministério da Educação e Cultura, trazia o título *50 poemas escolhidos pelo autor* e teve em 1959 uma segunda edição; nessa o critério adotado foi colher entre os meus poemas mais bem realizados os mais acessíveis ao leitor estrangeiro, pois eu desejava com ela retribuir a poetas de outras línguas a gentileza de me terem oferecido os seus livros. A quarta, a quinta e a sexta apareceram no mesmo ano de 1960, e intitularam-se, respectivamente, *Pasárgada*, edição de luxo, com ilustrações de Aldemir Martins, saída das oficinas da Sociedade dos Cem Bibliófilos, *Alumbramentos*, seleção de poemas de amor, editada em Salvador, Bahia, por Pedro Moacir Maia, e *Poèmes*, traduções para o francês, coleção Autour du Monde, editada em Paris por Pierre Seghers. Na organização de todas essas antologias ouvi indicações e conselhos de meu fiel amigo Otto Maria Carpeaux.

A antologia atual é mais completa que as anteriores por incluir também poemas de circunstância, constantes do livro *Mafuá do malungo*, e traduções que fiz de poetas estrangeiros, tiradas do livro *Poemas traduzidos*. Além disso, recolhem-se nela alguns poemas recentes ainda não coligidos em livro. Como nas duas

---

* Lapso do autor, a data correta é 1955 (N. E.).

primeiras, aqui o critério foi marcar a evolução de minha poesia, aproveitando de cada livro o que me parecia representar melhor a minha sensibilidade e a minha técnica.

Agradeço aos meus amigos da Editora do Autor o cuidado e carinho que puseram na impressão do livro.

Rio, 2 de julho de 1961.

MANUEL BANDEIRA

A CINZA DAS HORAS

EPÍGRAFE

Sou bem-nascido. Menino,
Fui, como os demais, feliz.
Depois, veio o mau destino
E fez de mim o que quis.

Veio o mau gênio da vida,
Rompeu em meu coração,
Levou tudo de vencida,
Rugiu como um furacão,

Turbou, partiu, abateu,
Queimou sem razão nem dó –
Ah, que dor!
                    Magoado e só,
– Só! – meu coração ardeu:

Ardeu em gritos dementes
Na sua paixão sombria...
E dessas horas ardentes
Ficou esta cinza fria.

– Esta pouca cinza fria...

1917

DESENCANTO

Eu faço versos como quem chora
De desalento... de desencanto...
Fecha o meu livro, se por agora
Não tens motivo nenhum de pranto.

Meu verso é sangue. Volúpia ardente...
Tristeza esparsa... remorso vão...
Dói-me nas veias. Amargo e quente,
Cai, gota a gota, do coração.

E nestes versos de angústia rouca
Assim dos lábios a vida corre,
Deixando um acre sabor na boca.

— Eu faço versos como quem morre.

Teresópolis, 1912

A Camões

Quando n'alma pesar de tua raça
A névoa da apagada e vil tristeza,
Busque ela sempre a glória que não passa,
Em teu poema de heroísmo e de beleza.

Gênio purificado na desgraça,
Tu resumiste em ti toda a grandeza:
Poeta e soldado... Em ti brilhou sem jaça
O amor da grande pátria portuguesa.

E enquanto o fero canto ecoar na mente
Da estirpe que em perigos sublimados
Plantou a cruz em cada continente,

Não morrerá sem poetas nem soldados
A língua em que cantaste rudemente
As armas e os barões assinalados.

A Antônio Nobre

Tu que penaste tanto e em cujo canto
Há a ingenuidade santa do menino;
Que amaste os choupos, o dobrar do sino,
E cujo pranto faz correr o pranto:

Com que magoado olhar, magoado espanto
Revejo em teu destino o meu destino!
Essa dor de tossir bebendo o ar fino,
A esmorecer e desejando tanto...

Mas tu dormiste em paz como as crianças.
Sorriu a Glória às tuas esperanças
E beijou-te na boca... O lindo som!

Quem me dará o beijo que cobiço?
Foste conde aos vinte anos... Eu, nem isso...
Eu, não terei a Glória... nem fui bom.

Petrópolis, 3-2-1916

VERSOS ESCRITOS N'ÁGUA

Os poucos versos que aí vão,
Em lugar de outros é que os ponho.
Tu que me lês, deixo ao teu sonho
Imaginar como serão.

Neles porás tua tristeza
Ou bem teu júbilo, e, talvez,
Lhes acharás, tu que me lês,
Alguma sombra de beleza...

Quem os ouviu não os amou.
Meus pobres versos comovidos!
Por isso fiquem esquecidos
Onde o mau vento os atirou.

CHAMA E FUMO

Amor – chama, e, depois, fumaça...
Medita no que vais fazer:
O fumo vem, a chama passa...

Gozo cruel, ventura escassa,
Dono do meu e do teu ser,
Amor – chama, e, depois, fumaça...

Tanto ele queima! e, por desgraça,
Queimado o que melhor houver,
O fumo vem, a chama passa...

Paixão puríssima ou devassa,
Triste ou feliz, pena ou prazer,
Amor – chama, e, depois, fumaça...

A cada par que a aurora enlaça,
Como é pungente o entardecer!
O fumo vem, a chama passa...

Antes, todo ele é gosto e graça.
Amor, fogueira linda a arder!
Amor – chama, e, depois, fumaça...

Porquanto, mal se satisfaça,
(Como te poderei dizer?...)
O fumo vem, a chama passa...

A chama queima. O fumo embaça.
Tão triste que é! Mas... tem de ser...
Amor?... – chama, e, depois, fumaça:
O fumo vem, a chama passa...

Teresópolis, 1911

A canção de Maria

Que é de ti, melancolia?...
Onde estais, cuidados meus?...
Sabei que a minha alegria
É toda vinda de Deus...
Deitei-me triste e sombria,
E amanheci como estou...
Tão contente! Todavia
Minha vida não mudou.
Acaso enquanto dormia
Esquecida de meus ais,
Um sonho bom me envolvia?
Se foi, não me lembro mais...
Mas se foi sonho, devia
Ser bom demais para mim...
Senão, não me sentiria
Tão maravilhada assim.

Ó minha linda alegria,
Trégua dos cuidados meus,
Por que não vens todo dia,
Se és toda vinda de Deus?

Clavadel, 1913

Cartas de meu avô

A tarde cai, por demais
Erma, úmida e silente...
A chuva, em gotas glaciais,
Chora monotonamente.

E enquanto anoitece, vou
Lendo, sossegado e só,
As cartas que meu avô
Escrevia a minha avó.

Enternecido sorrio
Do fervor desses carinhos:
É que os conheci velhinhos,
Quando o fogo era já frio.

Cartas de antes do noivado...
Cartas de amor que começa,
Inquieto, maravilhado,
E sem saber o que peça.

Temendo a cada momento
Ofendê-la, desgostá-la,
Quer ler em seu pensamento
E balbucia, não fala...

A mão pálida tremia
Contando o seu grande bem.
Mas, como o dele, batia
Dela o coração também.

A paixão, medrosa dantes,
Cresceu, dominou-o todo.
E as confissões hesitantes
Mudaram logo de modo.

Depois o espinho do ciúme...
A dor... a visão da morte...
Mas, calmado o vento, o lume
Brilhou, mais puro e mais forte.

E eu bendigo, envergonhado,
Esse amor, avô do meu...
Do meu, – fruto sem cuidado
Que inda verde apodreceu.

O meu semblante está enxuto.
Mas a alma, em gotas mansas,
Chora, abismada no luto
Das minhas desesperanças...

E a noite vem, por demais
Erma, úmida e silente...
A chuva em pingos glaciais,
Cai melancolicamente.

E enquanto anoitece, vou
Lendo, sossegado e só,
As cartas que meu avô
Escrevia a minha avó.

Poemeto irônico

O que tu chamas tua paixão,
É tão somente curiosidade.
E os teus desejos ferventes vão
Batendo as asas na irrealidade...

Curiosidade sentimental
Do seu aroma, da sua pele.
Sonhas um ventre de alvura tal,
Que escuro o linho fique ao pé dele.

Dentre os perfumes sutis que vêm
Das suas charpas, dos seus vestidos,
Isolar tentas o odor que tem
A trama rara dos seus tecidos.

Encanto a encanto, toda a prevês.
Afagos longos, carinhos sábios,
Carícias lentas, de uma maciez
Que se diriam feitas por lábios...

Tu te perguntas, curioso, quais
Serão seus gestos, balbuciamento,
Quando descerdes nas espirais
Deslumbradoras do esquecimento...

E acima disso, buscas saber
Os seus instintos, suas tendências...
Espiar-lhe na alma por conhecer
O que há sincero nas aparências.

E os teus desejos ferventes vão
Batendo as asas na irrealidade...
O que tu chamas tua paixão,
É tão somente curiosidade.

POEMETO ERÓTICO

Teu corpo claro e perfeito,
– Teu corpo de maravilha,
Quero possuí-lo no leito
Estreito da redondilha...

Teu corpo é tudo o que cheira...
Rosa... flor de laranjeira...

Teu corpo, branco e macio,
É como um véu de noivado...

Teu corpo é pomo doirado...

Rosal queimado do estio,
Desfalecido em perfume...

Teu corpo é a brasa do lume...

Teu corpo é chama e flameja
Como à tarde os horizontes...

É puro como nas fontes
A água clara que serpeja,
Que em cantigas se derrama...

Volúpia da água e da chama...

A todo o momento o vejo...
Teu corpo... a única ilha
No oceano do meu desejo...

Teu corpo é tudo o que brilha,
Teu corpo é tudo o que cheira...
Rosa, flor de laranjeira...

Ingênuo enleio

Ingênuo enleio de surpresa,
Sutil afago em meus sentidos,
Foi para mim tua beleza,
A tua voz nos meus ouvidos.

Ao pé de ti, do mal antigo
Meu triste ser convalesceu.
Então me fiz teu grande amigo,
E teu afeto se me deu.

Mas o teu corpo tinha a graça
Das aves... Musical adejo...
Vela no mar que freme e passa...
E assim nasceu o meu desejo.

Depois, momento por momento,
Eu conheci teu coração.
E se mudou meu sentimento
Em doce e grave adoração.

BODA ESPIRITUAL

Tu não estás comigo em momentos escassos:
No pensamento meu, amor, tu vives nua
– Toda nua, pudica e bela, nos meus braços.

O teu ombro no meu, ávido, se insinua.
Pende a tua cabeça. Eu amacio-a... Afago-a...
Ah, como a minha mão treme... Como ela é tua...

Põe no teu rosto o gozo uma expressão de mágoa.
O teu corpo crispado alucina. De escorço
O vejo estremecer como uma sombra n'água.

Gemes quase a chorar. Suplicas com esforço.
E para amortecer teu ardente desejo
Estendo longamente a mão pelo teu dorso...

Tua boca sem voz implora em um arquejo.
Eu te estreito cada vez mais, e espio absorto
A maravilha astral dessa nudez sem pejo...

E te amo como se ama um passarinho morto.

DESALENTO

Uma pesada, rude canseira
Toma-me todo. Por mal de mim,
Ela me é cara... De tal maneira,
Que às vezes gosto que seja assim...

É bem verdade que me tortura
Mais do que as dores que já conheço.
E em tais momentos se me afigura
Que estou morrendo... que desfaleço...

Lembrança amarga do meu passado...
Como ela punge! Como ela dói!
Porque hoje o vejo mais desolado,
Mais desgraçado do que ele foi...

Tédios e penas cuja memória
Me era mais leve que a cinza leve,
Pesam-me agora... contam-me a história
Do que a minh'alma quis e não teve...

O ermo infinito do meu desejo
Alonga, amplia cada pesar...
Pesar doentio... Tudo o que vejo
Tem uma tinta crepuscular...

Faço em segredo canções mais tristes
E mais ingênuas que as de Fortúnio:
Canções ingênuas que nunca ouvistes,
Volúpia obscura deste infortúnio...

Às vezes volvo, por esquecê-la,
A vista súplice em derredor.
Mas tenho medo de que sem ela
A desventura seja maior...

Sem pensamentos e sem cuidados,
Minh'alma tímida e pervertida,
Queda-se de olhos desencantados
Para o sagrado labor da vida...

Teresópolis, 1912

UM SORRISO

Vinha caindo a tarde. Era um poente de agosto.
A sombra já enoitava as moitas. A umidade
Aveludava o musgo. E tanta suavidade
Havia, de fazer chorar nesse sol-posto.

A viração do oceano acariciava o rosto
Como incorpóreas mãos. Fosse mágoa ou saudade,
Tu olhavas, sem ver, os vales e a cidade.

– Foi então que senti sorrir o meu desgosto...

Ao fundo o mar batia a crista dos escolhos...
Depois o céu... e mar e céus azuis: dir-se-ia
Prolongarem a cor ingênua de teus olhos...

A paisagem ficou espiritualizada.
Tinha adquirido uma alma. E uma nova poesia
Desceu do céu, subiu do mar, cantou na estrada...

DESESPERANÇA

Esta manhã tem a tristeza de um crepúsculo.
Como dói um pesar em cada pensamento!
Ah, que penosa lassidão em cada músculo...

O silêncio é tão largo, é tão longo, é tão lento
Que dá medo... O ar, parado, incomoda, angustia...
Dir-se-ia que anda no ar um mau pressentimento.

Assim deverá ser a natureza um dia,
Quando a vida acabar e, astro apagado, a Terra
Rodar sobre si mesma estéril e vazia.

O demônio sutil das nevroses enterra
A sua agulha de aço em meu crânio doído.
Ouço a morte chamar-me e esse apelo me aterra...

Minha respiração se faz como um gemido.
Já não entendo a vida, e se mais a aprofundo,
Mais a descompreendo e não lhe acho sentido.

Por onde alongue o meu olhar de moribundo,
Tudo a meus olhos toma um doloroso aspeto:
E erro assim repelido e estrangeiro no mundo.

Vejo nele a feição fria de um desafeto.
Temo a monotonia e apreendo a mudança.
Sinto que a minha vida é sem fim, sem objeto...

– Ah, como dói viver quando falta a esperança!

Teresópolis, 1912

Renúncia

Chora de manso e no íntimo... Procura
Curtir sem queixa o mal que te crucia:
O mundo é sem piedade e até riria
Da tua inconsolável amargura.

Só a dor enobrece e é grande e é pura.
Aprende a amá-la que a amarás um dia.
Então ela será tua alegria,
E será, ela só, tua ventura...

A vida é vã como a sombra que passa...
Sofre sereno e de alma sobranceira,
Sem um grito sequer, tua desgraça.

Encerra em ti tua tristeza inteira.
E pede humildemente a Deus que a faça
Tua doce e constante companheira...

Teresópolis, 1906

CARNAVAL

BACANAL

Quero beber! cantar asneiras
No esto brutal das bebedeiras
Que tudo emborca e faz em caco...
     Evoé Baco!

Lá se me parte a alma levada
No torvelim da mascarada,
A gargalhar em doudo assomo...
     Evoé Momo!

Lacem-na toda, multicores,
As serpentinas dos amores,
Cobras de lívidos venenos...
     Evoé Vênus!

Se perguntarem: Que mais queres,
Além de versos e mulheres?...
– Vinhos!... o vinho que é o meu fraco!...
     Evoé Baco!

O alfange rútilo da lua,
Por degolar a nuca nua
Que me alucina e que eu não domo!...
     Evoé Momo!

A Lira etérea, a grande Lira!...
Por que eu extático desfira
Em seu louvor versos obscenos,
     Evoé Vênus!

1918

OS SAPOS

Enfunando os papos,
Saem da penumbra,
Aos pulos, os sapos.
A luz os deslumbra.

Em ronco que aterra,
Berra o sapo-boi:
– "Meu pai foi à guerra!"
– "Não foi!" – "Foi!" – "Não foi!"

O sapo-tanoeiro,
Parnasiano aguado,
Diz: – "Meu cancioneiro
É bem martelado.

Vede como primo
Em comer os hiatos!
Que arte! E nunca rimo
Os termos cognatos.

O meu verso é bom
Frumento sem joio.
Faço rimas com
Consoantes de apoio.

Vai por cinquenta anos
Que lhes dei a norma:
Reduzi sem danos
A fôrmas a forma.

Clame a saparia
Em críticas céticas:
Não há mais poesia,
Mas há artes poéticas..."

Urra o sapo-boi:
– "Meu pai foi rei" – "Foi!"
– "Não foi!" – "Foi!" – "Não foi!"

Brada em um assomo
O sapo-tanoeiro:
– "A grande arte é como
Lavor de joalheiro.

Ou bem de estatuário.
Tudo quanto é belo,
Tudo quanto é vário,
Canta no martelo."

Outros, sapos-pipas
(Um mal em si cabe),
Falam pelas tripas:
– "Sei!" – "Não sabe!" – "Sabe!"

Longe dessa grita,
Lá onde mais densa
A noite infinita
Verte a sombra imensa;

Lá, fugido ao mundo,
Sem glória, sem fé,
No perau profundo
E solitário, é

Que soluças tu,
Transido de frio,
Sapo-cururu
Da beira do rio...

1918

Vulgívaga

Não posso crer que se conceba
Do amor senão o gozo físico!
O meu amante morreu bêbado,
E meu marido morreu tísico!

Não sei entre que astutos dedos
Deixei a rosa da inocência.
Antes da minha pubescência
Sabia todos os segredos...

Fui de um... Fui de outro... Este era médico...
Um, poeta... Outro, nem sei mais!
Tive em meu leito enciclopédico
Todas as artes liberais.

Aos velhos dou o meu engulho.
Aos férvidos, o que os esfrie.
A artistas, a *coquetterie*
Que inspira... E aos tímidos, – o orgulho.

Estes, caçoo-os e depeno-os:
A canga fez-se para o boi...
Meu claro ventre nunca foi
De sonhadores e de ingênuos!

E todavia se o primeiro
Que encontro, fere toda a lira,
Amanso. Tudo se me tira.
Dou tudo. E mesmo... dou dinheiro...

Se bate, então como o estremeço!
Oh, a volúpia da pancada!
Dar-me entre lágrimas, quebrada
Do seu colérico arremesso...

E o cio atroz se me não leva
A valhacoutos de canalhas,
É porque temo pela treva
O fio fino das navalhas...

Não posso crer que se conceba
Do amor senão o gozo físico!
O meu amante morreu bêbado,
E meu marido morreu tísico!

A ROSA

A vista incerta,
Os ombros langues,
Pierrot aperta
As mãos exangues
De encontro ao peito.

Alguma cousa
O punge ali
Que ele não ousa
Lançar de si,
O pobre doido!

Uma sombria
Rosa escarlata
Em agonia
Faz que lhe bata
O coração...

Sangrenta rosa
Que evoca a louca,
A voluptuosa
Volúvel boca
De sua amada...

Ah, com que mágoa,
Com que desgosto
Dois fios de água
Lavam-lhe o rosto
De faces lívidas!

Da veste branca
À larga túnica
Por fim arranca
A rosa púnica
Em um soluço.

E parecia,
Jogando ao chão
A flor sombria,
Que o coração
Ele arrancara!...

Pierrot místico

Torna a meu leito, Colombina!
Não procures em outros braços
Os requintes em que se afina
A volúpia dos meus abraços.

Os atletas poderão dar-te
O amor próximo das sevícias...
Só eu possuo a ingênua arte
Das indefiníveis carícias...

Meus magros dedos dissolutos
Conhecem todos os afagos
Para os teus olhos sempre enxutos
Mudar em dois brumosos lagos...

Quando em êxtase os olhos viro,
Ah se pudesses, fútil presa,
Sentir na dor do meu suspiro
A minha infinita tristeza!...

Insensato aquele que busca
O amor na fúria dionisíaca!
Por mim desamo a posse brusca:
A volúpia é cisma elegíaca...

A volúpia é bruma que esconde
Abismos de melancolia...
Flor de tristes pântanos onde
Mais que a morte a vida é sombria...

Minh'alma lírica de amante
Despedaçada de soluços,
Minh'alma ingênua, extravagante,
Aspira a desoras de bruços

Não às alegrias impuras,
Mas àquelas rosas simbólicas
De vossas ardentes ternuras,
Grandes místicas melancólicas!...

DEBUSSY

Para cá, para lá...
Para cá, para lá...
Um novelozinho de linha...
Para cá, para lá...
Para cá, para lá...
Oscila no ar pela mão de uma criança
(Vem e vai...)
Que delicadamente e quase a adormecer o balança
– Psiu... –
Para cá, para lá...
Para cá e...
– O novelozinho caiu.

PIERRETTE

O relento hiperestesia
O ritmo tardo de meu sangue.
Sinto correr-me a espinha langue
Um calefrio de histeria...

Gemem ondinas nos repuxos
Das fontes. Faunos aparecem.
E salamandras desfalecem
Nas sarças, nos braços dos bruxos.

Corro à floresta: entre miríades
De vaga-lumes, junto aos troncos,
Gênios caprípedes e broncos
Estupram virgens hamadríades.

Ergo olhos súplices: e vejo,
Ante as minhas pupilas tontas,
No sete-estrelo as sete pontas
De sete espadas de desejo.

O sexo obsidente alucina
A minha índole surpresa:
As imagens da natureza
São um delírio de morfina.

A minha carne complicada
Espreita, em voluptuoso ardil,
Alguém que tenha a alma sutil,
Decadente, degenerada!

E a lua verte como uma âmbula
O filtro erótico que assombra...
Vem, meu Pierrot, ó minha sombra
Cocainômana e noctâmbula!...

O DESCANTE DE ARLEQUIM

A lua ainda não nasceu.
A escuridão propícia aos furtos,
Propícia aos furtos, como o meu,
De amores frívolos e curtos,

Estende o manto alcoviteiro
À cuja sombra, se quiseres,
A mais ardente das mulheres
Terá o seu único parceiro.

Ei-lo. Sem glória e sem vintém,
Amando os vinhos e os baralhos,
Eu, nesta veste de retalhos,
Sou tudo quanto te convém.

Não se me dá do teu recato.
Antes, polido pelo vício,
Sou fácil, acomodatício,
Agora beijo, agora bato,

Que importa? Ao menos o teu ser
Ao meu anélito corruto
Esquecerá por um minuto
O pesadelo de viver.

E eu, vagabundo sem idade,
Contra a moral e contra os códigos,
Dar-te-ei entre os meus braços pródigos
Um momento de eternidade...

A Dama Branca

A Dama Branca que eu encontrei,
Faz tantos anos,
Na minha vida sem lei nem rei,
Sorriu-me em todos os desenganos.

Era sorriso de compaixão?
Era sorriso de zombaria?
Não era mofa nem dó. Senão,
Só nas tristezas me sorriria.

E a Dama Branca sorriu também
A cada júbilo interior.
Sorria como querendo bem.
E todavia não era amor.

Era desejo? – Credo! De tísicos?
Por histeria... quem sabe lá?...
A Dama tinha caprichos físicos:
Era uma estranha vulgívaga.

Ela era o gênio da corrupção.
Tábua de vícios adulterinos.
Tivera amantes: uma porção.
Até mulheres. Até meninos.

Ao pobre amante que lhe queria,
Se lhe furtava sarcástica.
Com uns perjura, com outros fria,
Com outros má,

— A Dama Branca que eu encontrei,
Há tantos anos,
Na minha vida sem lei nem rei,
Sorriu-me em todos os desenganos.

Essa constância de anos a fio,
Sutil, captara-me. E imaginai!
Por uma noite de muito frio,
A Dama Branca levou meu pai.

HIATO

És na minha vida como um luminoso
Poema que se lê comovidamente
Entre sorrisos e lágrimas de gozo...

A cada imagem, outra alma, outro ente
Parece entrar em nós e manso enlaçar
A velha alma arruinada e doente...

– Um poema luminoso como o mar,
Aberto em sorrisos de espuma, onde as velas
Fogem como garças longínquas no ar...

TOANTE

> *... wie ein stilles Nachtgebet.*
> Lenau

Molha em teu pranto de aurora as minhas mãos pálidas.
Molha-as. Assim eu as quero levar à boca,
Em espírito de humildade, como um cálice
De penitência em que a minh'alma se faz boa...

Foi assim que Teresa de Jesus amou...
Molha em teu pranto de aurora as minhas mãos pálidas.
O espasmo é como um êxtase religioso...
E o teu amor tem o sabor das tuas lágrimas...

ALUMBRAMENTO

Eu vi os céus! Eu vi os céus!
Oh, essa angélica brancura
Sem tristes pejos e sem véus!

Nem uma nuvem de amargura
Vem a alma desassossegar.
E sinto-a bela... e sinto-a pura...

Eu vi nevar! Eu vi nevar!
Oh, cristalizações da bruma
A amortalhar, a cintilar!

Eu vi o mar! Lírios de espuma
Vinham desabrochar à flor
Da água que o vento desapruma...

Eu vi a estrela do pastor...
Vi a licorne alvinitente!...
Vi... vi o rastro do Senhor!...

E vi a Via Láctea ardente...
Vi comunhões... capelas... véus...
Súbito... alucinadamente...

Vi carros triunfais... troféus...
Pérolas grandes como a lua...
Eu vi os céus! Eu vi os céus!

— Eu vi-a nua... toda nua!

Clavadel, 1913

SONHO DE UMA TERÇA-FEIRA GORDA

Eu estava contigo. Os nossos dominós eram negros, e negras
[eram as nossas máscaras.
Íamos, por entre a turba, com solenidade,
Bem conscientes do nosso ar lúgubre
Tão contrastado pelo sentimento de felicidade
Que nos penetrava. Um lento, suave júbilo
Que nos penetrava... Que nos penetrava como uma espada de
[fogo...
Como a espada de fogo que apunhalava as santas extáticas!

E a impressão em meu sonho era que se estávamos
Assim de negro, assim por fora inteiramente de negro,
– Dentro de nós, ao contrário, era tudo claro e luminoso!

Era terça-feira gorda. A multidão inumerável
Burburinhava. Entre clangores de fanfarra
Passavam préstitos apoteóticos.
Eram alegorias ingênuas, ao gosto popular, em cores cruas.
Iam em cima, empoleiradas, mulheres de má vida,
De peitos enormes – Vênus para caixeiros.
Figuravam deusas, – deusa disto, deusa daquilo, já tontas e
[seminuas.
A turba, ávida de promiscuidade,
Acotovelava-se com algazarra,
Aclamava-as com alarido.
E, aqui e ali, virgens atiravam-lhes flores.

Nós caminhávamos de mãos dadas, com solenidade,
O ar lúgubre, negros, negros...

Mas dentro em nós era tudo claro e luminoso!
Nem a alegria estava ali, fora de nós.
A alegria estava em nós.
Era dentro de nós que estava a alegria,
– A profunda, a silenciosa alegria...

POEMA DE UMA QUARTA-FEIRA DE CINZAS

Entre a turba grosseira e fútil
Um Pierrot doloroso passa.
Veste-o uma túnica inconsútil
Feita de sonho e de desgraça...

O seu delírio manso agrupa
Atrás dele os maus e os basbaques.
Este o indigita, este outro o apupa...
Indiferente a tais ataques,

Nublada a vista em pranto inútil,
Dolorosamente ele passa.
Veste-o uma túnica inconsútil,
Feita de sonho e de desgraça...

Epílogo

Eu quis um dia, como Schumann, compor
Um Carnaval todo subjetivo:
Um Carnaval em que o só motivo
Fosse o meu próprio ser interior...

Quando o acabei, – a diferença que havia!
O de Schumann é um poema cheio de amor,
E de frescura, e de mocidade...
E o meu tinha a morta morta-cor
Da senilidade e da amargura...
– O meu Carnaval sem nenhuma alegria!...

1919

O RITMO DISSOLUTO

O SILÊNCIO

Na sombra cúmplice do quarto,
Ao contacto das minhas mãos lentas,
A substância da tua carne
Era a mesma que a do silêncio.

Do silêncio musical, cheio
De sentido místico e grave,
Ferindo a alma de um enleio
Mortalmente agudo e suave.

Ah, tão suave e tão agudo!
Parecia que a morte vinha...
Era o silêncio que diz tudo
O que a intuição mal adivinha.

É o silêncio da tua carne.
Da tua carne de âmbar, nua,
Quase a espiritualizar-se
Na aspiração de mais ternura.

O MENINO DOENTE

O menino dorme.

Para que o menino
Durma sossegado,
Sentada a seu lado
A mãezinha canta:

– "Dodói, vai-te embora!
"Deixa o meu filhinho.
"Dorme... dorme... meu..."

Morta de fadiga,
Ela adormeceu.

Então, no ombro dela,
Um vulto de santa,
Na mesma cantiga,
Na mesma voz dela,
Se debruça e canta:

– "Dorme, meu amor.
"Dorme, meu benzinho..."

E o menino dorme.

BALADA DE SANTA MARIA EGIPCÍACA

Santa Maria Egipcíaca seguia
Em peregrinação à terra do Senhor.

Caía o crepúsculo, e era como um triste sorriso de mártir.

Santa Maria Egipcíaca chegou
À beira de um grande rio.
Era tão longe a outra margem!
E estava junto à ribanceira,
Num barco,
Um homem de olhar duro.

Santa Maria Egipcíaca rogou:
— Leva-me ao outro lado.
Não tenho dinheiro. O Senhor te abençoe.

O homem duro fitou-a sem dó.

Caía o crepúsculo, e era como um triste sorriso de mártir.

— Não tenho dinheiro. O Senhor te abençoe.
Leva-me ao outro lado.

O homem duro escarneceu: — Não tens dinheiro,
Mulher, mas tens teu corpo. Dá-me o teu corpo, e vou levar-te.

E fez um gesto. E a santa sorriu,
Na graça divina, ao gesto que ele fez.

Santa Maria Egipcíaca despiu
O manto, e entregou ao barqueiro
A santidade da sua nudez.

FELICIDADE

A doce tarde morre. E tão mansa
Ela esmorece,
Tão lentamente no céu de prece,
Que assim parece, toda repouso,
Como um suspiro de extinto gozo
De uma profunda, longa esperança
Que, enfim cumprida, morre, descansa...

E enquanto a mansa tarde agoniza,
Por entre a névoa fria do mar
Toda a minh'alma foge na brisa:
Tenho vontade de me matar!

Oh, ter vontade de se matar...
Bem sei é cousa que não se diz.
Que mais a vida me pode dar?
Sou tão feliz!

— Vem, noite mansa...

MURMÚRIO D'ÁGUA

Murmúrio d'água, és tão suave a meus ouvidos...
Faz tanto bem à minha dor teu refrigério!
Nem sei passar sem teu murmúrio a meus ouvidos,
Sem teu suave, teu afável refrigério.

Água de fonte... água de oceano... água de pranto...
Água de rio...
Água de chuva, água cantante das levadas...
Têm para mim, todas, consolos de acalanto,
A que sorrio...

A que sorri a minha cínica descrença.
A que sorri o meu opróbrio de viver.
A que sorri o mais profundo desencanto
Do mais profundo e mais recôndito em meu ser!
Sorriem como aqueles cegos de nascença
Aos quais Jesus de súbito fazia ver...

A minha mãe ouvi dizer que era minh'ama
Tranquila e mansa.
Talvez ouvi, quando criança,
Cantigas tristes que cantou à minha cama.
Talvez por isso eu me comova a aquela mágoa.
Talvez por isso eu me comova tanto à mágoa
Do teu rumor, murmúrio d'água...

A meiga e triste rapariga
Punha talvez nessa cantiga
A sua dor e mais a dor de sua raça...
Pobre mulher, sombria filha da desgraça!

— Murmúrio d'água, és a cantiga de minh'ama.

Mar bravo

Mar que ouvi sempre cantar murmúrios
Na doce queixa das elegias,
Como se fosses, nas tardes frias
De tons purpúreos,
A voz das minhas melancolias:

Com que delícia neste infortúnio,
Com que selvagem, profundo gozo,
Hoje te vejo bater raivoso,
Na maré-cheia de novilúnio,
Mar rumoroso!

Com que amargura mordes a areia,
Cuspindo a baba da acre salsugem,
No torvelinho de ondas que rugem
Na maré-cheia,
Mar de sargaços e de amarugem!

As minhas cóleras homicidas,
Meus velhos ódios de iconoclasta,
Quedam-se absortos diante da vasta,
Pérfida vaga que tudo arrasta,
Mar que intimidas!

Em tuas ondas precipitadas,
Onde flamejam lampejos ruivos,
Gemem sereias despedaçadas,
Em longos uivos
Multiplicados pelas quebradas.

Mar que arremetes, mas que não cansas,
Mar de blasfêmias e de vinganças,
Como te invejo! Dentro em meu peito
Eu trago um pântano insatisfeito
De corrompidas desesperanças!...

1913

CARINHO TRISTE

A tua boca ingênua e triste
E voluptuosa, que eu saberia fazer
Sorrir em meio dos pesares e chorar em meio das alegrias,
A tua boca ingênua e triste
É dele quando ele bem quer.

Os teus seios miraculosos,
Que amamentaram sem perder
O precário frescor da pubescência,
Teus seios, que são como os seios intactos das virgens,
São dele quando ele bem quer.

O teu claro ventre,
Onde como no ventre da terra ouço bater
O mistério de novas vidas e de novos pensamentos,
Teu ventre, cujo contorno tem a pureza da linha de mar e céu
                                        [ao pôr do sol,
É dele quando ele bem quer.

Só não é dele a tua tristeza.
Tristeza dos que perderam o gosto de viver.
Dos que a vida traiu impiedosamente.
Tristeza de criança que se deve afagar e acalentar.
(A minha tristeza também!...)
Só não é dele a tua tristeza, ó minha triste amiga!
Porque ele não a quer.

1913

BÉLGICA

Bélgica dos canais de labor perseverante,
Que a usura das cousas, tempo afora,
Tempo adiante,
Fez para agora e para jamais
Canais de infinita, enternecida poesia...

Bélgica dos canais, Bélgica de cujos canais
Saiu ao mar mais de uma ingênua vela branca...
Mais de uma vela nova... mais de uma vela virgem...
Bélgica das velas brancas e virgens!

Bélgica dos velhos paços municipais,
Úmidos da nostalgia
De um nobre passado irrevocável.

Bélgica dos pintores flamengos.
Bélgica onde Verlaine escreveu *Sagesse*.

Bélgica das beguines,
Das humildes beguines de mãos postas, em prece,
Sob os toucados de linho simbólicos.
Bélgica de Malines.
Bélgica de Bruges-a-morta...
Bélgica dos carrilhões católicos.

Bélgica dos poetas iniciadores.
Bélgica de Maeterlinck
(*La Mort de Tintagiles, Pelléas et Mélisande*),
Bélgica de Verhaeren e dos campos alucinados da Flandres.

Bélgica das velas ingênuas e virgens.

Os sinos

Sino de Belém,
Sino da Paixão...

Sino de Belém,
Sino da Paixão...

Sino do Bonfim!...
Sino do Bonfim!...

*

Sino de Belém, pelos que inda vêm!
Sino de Belém bate bem-bem-bem.

Sino da Paixão, pelos que lá vão!
Sino da Paixão bate bão-bão-bão.

Sino do Bonfim, por quem chora assim?...

*

Sino de Belém, que graça ele tem!
Sino de Belém bate bem-bem-bem.

Sino da Paixão – pela minha mãe!
Sino da Paixão – pela minha irmã!

Sino do Bonfim, que vai ser de mim?...

*

Sino de Belém, como soa bem!
Sino de Belém bate bem-bem-bem.

Sino da Paixão... Por meu pai?... – Não! Não!...
Sino da Paixão bate bão-bão-bão.

Sino do Bonfim, baterás por mim?...

*

Sino de Belém,
Sino da Paixão...
Sino da Paixão, pelo meu irmão...

Sino da Paixão,
Sino do Bonfim...
Sino do Bonfim, ai de mim, por mim!

*

Sino de Belém, que graça ele tem!

MADRIGAL MELANCÓLICO

O que eu adoro em ti,
Não é a tua beleza.
A beleza, é em nós que ela existe.
A beleza é um conceito.
E a beleza é triste.
Não é triste em si,
Mas pelo que há nela de fragilidade e de incerteza.

O que eu adoro em ti,
Não é a tua inteligência.
Não é o teu espírito sutil,
Tão ágil, tão luminoso,
– Ave solta no céu matinal da montanha.
Nem é a tua ciência
Do coração dos homens e das coisas.

O que eu adoro em ti,
Não é a tua graça musical,
Sucessiva e renovada a cada momento,
Graça aérea como o teu próprio pensamento,
Graça que perturba e que satisfaz.

O que eu adoro em ti,
Não é a mãe que já perdi.
Não é a irmã que já perdi.
E meu pai.

O que eu adoro em tua natureza,

Não é o profundo instinto maternal

Em teu flanco aberto como uma ferida.

Nem a tua pureza. Nem a tua impureza.

O que eu adoro em ti – lastima-me e consola-me!

O que eu adoro em ti, é a vida.

11 de julho de 1920

A ESTRADA

Esta estrada onde moro, entre duas voltas do caminho,
Interessa mais que uma avenida urbana.
Nas cidades todas as pessoas se parecem.
Todo o mundo é igual. Todo o mundo é toda a gente.
Aqui, não: sente-se bem que cada um traz a sua alma.
Cada criatura é única.
Até os cães.
Estes cães da roça parecem homens de negócios:
Andam sempre preocupados.
E quanta gente vem e vai!
E tudo tem aquele caráter impressivo que faz meditar:
Enterro a pé ou a carrocinha de leite puxada por um bodezinho
[manhoso.
Nem falta o murmúrio da água, para sugerir, pela voz dos
[símbolos,
Que a vida passa! que a vida passa!
E que a mocidade vai acabar.

Petrópolis, 1921

MENINOS CARVOEIROS

Os meninos carvoeiros
Passam a caminho da cidade.
— Eh, carvoero!
E vão tocando os animais com um relho enorme.

Os burros são magrinhos e velhos.
Cada um leva seis sacos de carvão de lenha.
A aniagem é toda remendada.
Os carvões caem.

(Pela boca da noite vem uma velhinha que os recolhe, dobrando-se
[com um gemido.)

— Eh, carvoero!
Só mesmo estas crianças raquíticas
Vão bem com estes burrinhos descadeirados.
A madrugada ingênua parece feita para eles...
Pequenina, ingênua miséria!
Adoráveis carvoeirinhos que trabalhais como se brincásseis!
— Eh, carvoero!

Quando voltam, vêm mordendo num pão encarvoado,
Encarapitados nas alimárias,
Apostando corrida,
Dançando, bamboleando nas cangalhas como espantalhos
[desamparados!

Petrópolis, 1921

SOB O CÉU TODO ESTRELADO

As estrelas, no céu muito límpido, brilhavam, divinamente
[distantes.
Vinha da caniçada o aroma amolecente dos jasmins.
E havia também, num canteiro perto, rosas que cheiravam a
[jambo.
Um vaga-lume abateu sobre as hortênsias e ali ficou luzindo
[misteriosamente.
À parte as águas de um córrego contavam a eterna história sem
[começo nem fim.
Havia uma paz em tudo isso...
(Era de resto o que dizia lá dentro o meigo adágio de Haydn.)
Tudo isso era tão tranquilo... tão simples...
E deverias dizer que foi o teu momento mais feliz.

Petrópolis, 1921

Noturno da Mosela

A noite... O silêncio...
Se fosse só o silêncio!
Mas esta queda-d'água que não para! que não para!
Não é de dentro de mim que ela flui sem piedade?...
A minha vida foge, foge, – e sinto que foge inutilmente!

O silêncio e a estrada ensopada, com dois reflexos intermináveis...

Fumo até quase não sentir mais que a brasa e a cinza em minha boca.
O fumo faz mal aos meus pulmões comidos pelas algas.
O fumo é amargo e abjeto. Fumo abençoado, que és amargo e abjeto!

Uma pequenina aranha urde no peitoril da janela a teiazinha
[levíssima.

Tenho vontade de beijar esta aranhazinha...

No entanto em cada charuto que acendo cuido encontrar o gosto
[que faz esquecer...

Os meus retratos... Os meus livros... O meu crucifixo de marfim...
E a noite...

Petrópolis, 1921

GESSO

Esta minha estatuazinha de gesso, quando nova
– O gesso muito branco, as linhas muito puras, –
Mal sugeria imagem de vida
(Embora a figura chorasse).
Há muitos anos tenho-a comigo.
O tempo envelheceu-a, carcomeu-a, manchou-a de pátina
[amarelo-suja.
Os meus olhos, de tanto a olharem,
Impregnaram-na da minha humanidade irônica de tísico.

Um dia mão estúpida
Inadvertidamente a derrubou e partiu.
Então ajoelhei com raiva, recolhi aqueles tristes fragmentos,
[recompus a figurinha que chorava.
E o tempo sobre as feridas escureceu ainda mais o sujo
[mordente da pátina...

Hoje este gessozinho comercial
É tocante e vive, e me fez agora refletir
Que só é verdadeiramente vivo o que já sofreu.

NOITE MORTA

Noite morta.
Junto ao poste de iluminação
Os sapos engolem mosquitos.

Ninguém passa na estrada.
Nem um bêbado.

No entanto há seguramente por ela uma procissão de sombras.
Sombras de todos os que passaram.
Os que ainda vivem e os que já morreram.

O córrego chora.
A voz da noite...

(Não desta noite, mas de outra maior.)

Petrópolis, 1921

Na Rua do Sabão

Cai cai balão
Cai cai balão
Na Rua do Sabão!

O que custou arranjar aquele balãozinho de papel!
Quem fez foi o filho da lavadeira.
Um que trabalha na composição do jornal e tosse muito.
Comprou o papel de seda, cortou-o com amor, compôs os gomos
                                                    [oblongos...
Depois ajustou o morrão de pez ao bocal de arame.

Ei-lo agora que sobe, – pequena coisa tocante na escuridão do céu.

Levou tempo para criar fôlego.
Bambeava, tremia todo e mudava de cor.
A molecada da Rua do Sabão
Gritava com maldade:
Cai cai balão!

Subitamente, porém, entesou, enfunou-se e arrancou das mãos
                                                    [que o tenteavam.

E foi subindo...
                    para longe...
                                        serenamente...
Como se o enchesse o soprinho tísico do José.

Cai cai balão!

A molecada salteou-o com atiradeiras

      assobios

      apupos

      pedradas.

Cai cai balão!

Um senhor advertiu que os balões são proibidos pelas posturas

                             [municipais.

Ele foi subindo...

      muito serenamente...

               para muito longe...

Não caiu na Rua do Sabão.

Caiu muito longe... Caiu no mar, – nas águas puras do mar alto.

BERIMBAU

Os aguapés dos aguaçais
Nos igapós dos Japurás
Bolem, bolem, bolem.
Chama o saci: – Si si si si!
– Ui ui ui ui ui! uiva a iara
Nos aguaçais dos igapós
Dos Japurás e dos Purus.

A mameluca é uma maluca.
Saiu sozinha da maloca –
O boto bate – bite bite...
Quem ofendeu a mameluca?
– Foi o boto!
O Cussaruim bota quebrantos.
Nos aguaçais os aguapés
– Cruz, canhoto! –
Bolem... Peraus dos Japurás
De assombramentos e de espantos!...

BALÕEZINHOS

Na feira livre do arrabaldezinho
Um homem loquaz apregoa balõezinhos de cor:
– "O melhor divertimento para as crianças!"
Em redor dele há um ajuntamento de menininhos pobres,
Fitando com olhos muito redondos os grandes balõezinhos muito
[redondos.

No entanto a feira burburinha.
Vão chegando as burguesinhas pobres,
E as criadas das burguesinhas ricas,
E mulheres do povo, e as lavadeiras da redondeza.

Nas bancas de peixe,
Nas barraquinhas de cereais,
Junto às cestas de hortaliças
O tostão é regateado com acrimônia.

Os meninos pobres não veem as ervilhas tenras,
Os tomatinhos vermelhos,
Nem as frutas,
Nem nada.

Sente-se bem que para eles ali na feira os balõezinhos de cor são a
[única mercadoria útil e verdadeiramente indispensável.

O vendedor infatigável apregoa:
– "O melhor divertimento para as crianças!"
E em torno do homem loquaz os menininhos pobres fazem um
[círculo inamovível de desejo e espanto.

LIBERTINAGEM

Não sei dançar

Uns tomam éter, outros cocaína.
Eu já tomei tristeza, hoje tomo alegria.
Tenho todos os motivos menos um de ser triste.
Mas o cálculo das probabilidades é uma pilhéria...
Abaixo Amiel!
E nunca lerei o diário de Maria Bashkirtseff.

Sim, já perdi pai, mãe, irmãos.
Perdi a saúde também.
É por isso que sinto como ninguém o ritmo do jazz-band.

Uns tomam éter, outros cocaína.
Eu tomo alegria!
Eis aí por que vim assistir a este baile de terça-feira gorda.

Mistura muito excelente de chás...

                                            Esta foi açafata...
– Não, foi arrumadeira.
E está dançando com o ex-prefeito municipal.
Tão Brasil!

De fato este salão de sangues misturados parece o Brasil...
Há até a fração incipiente amarela
Na figura de um japonês.
O japonês também dança maxixe:
Acugêlê banzai!
A filha do usineiro de Campos
Olha com repugnância
Para a crioula imoral.

No entanto o que faz a indecência da outra
É dengue nos olhos maravilhosos da moça.
E aquele cair de ombros...
Mas ela não sabe...
Tão Brasil!

Ninguém se lembra de política...
Nem dos oito mil quilômetros de costa...
O algodão do Seridó é o melhor do mundo?... Que me importa?
Não há malária nem moléstia de Chagas nem ancilóstomos.
A sereia sibila e o ganzá do jazz-band batuca.
Eu tomo alegria!

Petrópolis, 1925

O ANJO DA GUARDA

Quando minha irmã morreu,
(Devia ter sido assim)
Um anjo moreno, violento e bom,

                                    – brasileiro

Veio ficar ao pé de mim.
O meu anjo da guarda sorriu
E voltou para junto do Senhor.

PENSÃO FAMILIAR

Jardim da pensãozinha burguesa.
Gatos espapaçados ao sol.
A tiririca sitia os canteiros chatos.
O sol acaba de crestar as boninas que murcharam.
Os girassóis
              amarelo!
                       resistem.
E as dálias, rechonchudas, plebeias, dominicais.

Um gatinho faz pipi.
Com gestos de garçom de restaurant-Palace
Encobre cuidadosamente a mijadinha.
Sai vibrando com elegância a patinha direita:
— É a única criatura fina na pensãozinha burguesa.

Petrópolis, 1925

O CACTO

Aquele cacto lembrava os gestos desesperados da estatuária:
Laocoonte constrangido pelas serpentes,
Ugolino e os filhos esfaimados.
Evocava também o seco Nordeste, carnaubais, caatingas...
Era enorme, mesmo para esta terra de feracidades excepcionais.

Um dia um tufão furibundo abateu-o pela raiz.
O cacto tombou atravessado na rua,
Quebrou os beirais do casario fronteiro,
Impediu o trânsito de bondes, automóveis, carroças,
Arrebentou os cabos elétricos e durante vinte e quatro horas
          [privou a cidade de iluminação e energia:

– Era belo, áspero, intratável.

                      Petrópolis, 1925

Pneumotórax

Febre, hemoptise, dispneia e suores noturnos.
A vida inteira que podia ter sido e que não foi.
Tosse, tosse, tosse.

Mandou chamar o médico:
— Diga trinta e três.
— Trinta e três... trinta e três... trinta e três...
— Respire.
....
— O senhor tem uma escavação no pulmão esquerdo e o pulmão
[direito infiltrado.
— Então, doutor, não é possível tentar o pneumotórax?
— Não. A única coisa a fazer é tocar um tango argentino.

POÉTICA

Estou farto do lirismo comedido
Do lirismo bem-comportado
Do lirismo funcionário público com livro de ponto expediente
            [protocolo e manifestações de apreço ao sr. diretor

Estou farto do lirismo que para e vai averiguar no dicionário o
                [cunho vernáculo de um vocábulo

Abaixo os puristas

Todas as palavras sobretudo os barbarismos universais
Todas as construções sobretudo as sintaxes de exceção
Todos os ritmos sobretudo os inumeráveis

Estou farto do lirismo namorador
Político
Raquítico
Sifilítico
De todo lirismo que capitula ao que quer que seja fora de si
                [mesmo.

De resto não é lirismo
Será contabilidade tabela de cossenos secretário do amante
            [exemplar com cem modelos de cartas e as
            [diferentes maneiras de agradar às mulheres, etc.

Quero antes o lirismo dos loucos
O lirismo dos bêbedos
O lirismo difícil e pungente dos bêbedos
O lirismo dos clowns de Shakespeare

— Não quero mais saber do lirismo que não é libertação.

PORQUINHO-DA-ÍNDIA

Quando eu tinha seis anos
Ganhei um porquinho-da-índia.
Que dor de coração me dava
Porque o bichinho só queria estar debaixo do fogão!
Levava ele pra sala
Pra os lugares mais bonitos mais limpinhos
Ele não gostava:
Queria era estar debaixo do fogão.
Não fazia caso nenhum das minhas ternurinhas...

— O meu porquinho-da-índia foi a minha primeira namorada.

MANGUE

Mangue mais Veneza americana do que o Recife
Cargueiros atracados nas docas do Canal Grande
O Morro do Pinto morre de espanto
Passam estivadores de torso nu suando facas de ponta
Café baixo
Trapiches alfandegados
Catraias de abacaxis e de bananas
A Light fazendo crusvaldina com resíduos de coque
Há macumbas no piche
       Eh cagira mia pai
       Eh cagira
E o luar é uma coisa só

Houve tempo em que a Cidade Nova era mais subúrbio do que todas
                                   [as Meritis da Baixada
Pátria amada idolatrada de empregadinhos de repartições públicas
Gente que vive porque é teimosa
Cartomantes da Rua Carmo Neto
Cirurgiões-dentistas com raízes gregas nas tabuletas avulsivas
O Senador Eusébio e o Visconde de Itaúna já se olhavam com rancor
(Por isso
Entre os dois
Dom João VI mandou plantar quatro renques de palmeiras-imperiais)
Casinhas tão térreas onde tantas vezes meu Deus fui funcionário público
             [casado com mulher feia e morri de tuberculose pulmonar
Muitas palmeiras se suicidaram porque não viviam num píncaro azulado.
Era aqui que choramingavam os primeiros choros dos carnavais cariocas.
Sambas da tia Ciata
Cadê mais tia Ciata

Talvez em Dona Clara meu branco

Ensaiando cheganças pra o Natal

> O menino Jesus – Quem sois tu?

> O preto – Eu sou aquele preto principá do centro do
> [cafange do fundo do rebolo. Quem sois tu?

> O menino Jesus – Eu sou o fio da Virge Maria.

> O preto – Entonces como é fio dessa senhora, obedeço.

> O menino Jesus – Entonces cuma você obedece, reze
> [aqui um terceto pr'esse exerço vê.

O Mangue era simplesinho

Mas as inundações dos solstícios de verão

Trouxeram para Mata-Porcos todas as uiaras da Serra da Carioca

Uiaras do Trapicheiro

Do Maracanã

Do rio Joana

E vieram também sereias de além-mar jogadas pela ressaca nos
[aterrados da Gamboa

Hoje há transatlânticos atracados nas docas do Canal Grande

O Senador e o Visconde arranjaram capangas

Hoje se fala numa porção de ruas em que dantes ninguém acreditava

E há partidas para o Mangue

Com choros de cavaquinho, pandeiro e reco-reco

> És mulher

> És mulher e nada mais

OFERTA

Mangue mais Veneza americana do que o Recife

Meriti meretriz

Mangue enfim verdadeiramente Cidade Nova

Com transatlânticos atracados nas docas do Canal Grande

Linda como Juiz de Fora!

Belém do Pará

Bembelelém
Viva Belém!

Belém do Pará porto moderno integrado na equatorial
Beleza eterna da paisagem

Bembelelém
Viva Belém!

Cidade pomar
(Obrigou a polícia a classificar um tipo novo de delinquente:
O apedrejador de mangueiras)

Bembelelém
Viva Belém!

Belém do Pará onde as avenidas se chamam Estradas:
Estrada de São Jerônimo
Estrada de Nazaré

Onde a banal Avenida Marechal Deodoro da Fonseca de todas as
[cidades do Brasil
Se chama liricamente
Brasileiramente
Estrada do Generalíssimo Deodoro

Bembelelém
Viva Belém!
Nortista gostosa
Eu te quero bem.

Terra da castanha

Terra da borracha

Terra de biribá bacuri sapoti

Terra de fala cheia de nome indígena

Que a gente não sabe se é de fruta pé de pau ou ave de plumagem

[bonita.

Nortista gostosa

Eu te quero bem.

Me obrigarás a novas saudades

Nunca mais me esquecerei do teu Largo da Sé

Com a fé maciça das duas maravilhosas igrejas barrocas

E o renque ajoelhado de sobradinhos coloniais tão bonitinhos

Nunca mais me esquecerei

Das velas encarnadas

Verdes

Azuis

Da doca de Ver-o-Peso

Nunca mais

E foi pra me consolar mais tarde

Que inventei esta cantiga:

    Bembelelém

    Viva Belém!

    Nortista gostosa

    Eu te quero bem.

Belém, 1928

Evocação do Recife

Recife
Não a Veneza americana
Não a Mauritsstad dos armadores das Índias Ocidentais
Não o Recife dos Mascates
Nem mesmo o Recife que aprendi a amar depois —
      Recife das revoluções libertárias
Mas o Recife sem história nem literatura
Recife sem mais nada
Recife da minha infância

A Rua da União onde eu brincava de chicote-queimado e partia
             [as vidraças da casa de dona Aninha Viegas
Totônio Rodrigues era muito velho e botava o pincenê na ponta
             [do nariz
Depois do jantar as famílias tomavam a calçada com cadeiras,
             [mexericos, namoros, risadas
A gente brincava no meio da rua
Os meninos gritavam:

      Coelho sai!
      Não sai!

À distância as vozes macias das meninas politonavam:

      Roseira dá-me uma rosa
      Craveiro dá-me um botão

(Dessas rosas muita rosa
Terá morrido em botão...)

De repente

    nos longes da noite

              um sino

Uma pessoa grande dizia:

Fogo em Santo Antônio!

Outra contrariava: São José!

Totônio Rodrigues achava sempre que era São José.

Os homens punham o chapéu saíam fumando

E eu tinha raiva de ser menino porque não podia ir ver o fogo

Rua da União...

Como eram lindos os nomes das ruas da minha infância

Rua do Sol

(Tenho medo que hoje se chame do Dr. Fulano de Tal)

Atrás de casa ficava a Rua da Saudade...

          ... onde se ia fumar escondido

Do lado de lá era o cais da Rua da Aurora...

          ... onde se ia pescar escondido

Capiberibe

– Capibaribe

Lá longe o sertãozinho de Caxangá

Banheiros de palha

Um dia eu vi uma moça nuinha no banho

Fiquei parado o coração batendo

Ela se riu

       Foi o meu primeiro alumbramento

Cheia! As cheias! Barro boi morto árvores destroços redomoinho

          [sumiu

E nos pegões da ponte do trem de ferro os caboclos destemidos

          [em jangadas de bananeiras

Novenas

     Cavalhadas

Eu me deitei no colo da menina e ela começou a passar a mão

                    [nos meus cabelos

Capiberibe

– Capibaribe

Rua da União onde todas as tardes passava a preta das bananas

     Com o xale vistoso de pano da Costa

E o vendedor de roletes de cana

O de amendoim

     que se chamava midubim e não era torrado era cozido

Me lembro de todos os pregões:

     Ovos frescos e baratos

     Dez ovos por uma pataca

Foi há muito tempo...

A vida não me chegava pelos jornais nem pelos livros

Vinha da boca do povo na língua errada do povo

Língua certa do povo

Porque ele é que fala gostoso o português do Brasil

     Ao passo que nós

     O que fazemos

     É macaquear

     A sintaxe lusíada

A vida com uma porção de coisas que eu não entendia bem

Terras que não sabia onde ficavam

Recife...

     Rua da União...

           A casa de meu avô...

Nunca pensei que ela acabasse!

Tudo lá parecia impregnado de eternidade

Recife...

Meu avô morto.

Recife morto. Recife bom, Recife brasileiro como a casa de meu avô.

Rio, 1925

Poema tirado de uma notícia de jornal

João Gostoso era carregador de feira livre e morava no morro da
[Babilônia num barracão sem número
Uma noite ele chegou no bar Vinte de Novembro
Bebeu
Cantou
Dançou
Depois se atirou na Lagoa Rodrigo de Freitas e morreu afogado.

TERESA

A primeira vez que vi Teresa
Achei que ela tinha pernas estúpidas
Achei também que a cara parecia uma perna

Quando vi Teresa de novo
Achei que os olhos eram muito mais velhos que o resto do corpo
(Os olhos nasceram e ficaram dez anos esperando que o resto do
[corpo nascesse)

Da terceira vez não vi mais nada
Os céus se misturaram com a terra
E o espírito de Deus voltou a se mover sobre a face das águas.

LENDA BRASILEIRA

A moita buliu. Bentinho Jararaca levou a arma à cara: o que saiu do mato foi o Veado Branco! Bentinho ficou pregado no chão. Quis puxar o gatilho e não pôde.

— Deus me perdoe!

Mas o Cussaruim veio vindo, veio vindo, parou junto do caçador e começou a comer devagarinho o cano da espingarda.

A Virgem Maria

O oficial do registro civil, o coletor de impostos, o mordomo da
[Santa Casa e o administrador
[do cemitério de S. João Batista
Cavaram com enxadas
Com pás
Com as unhas
Com os dentes
Cavaram uma cova mais funda que o meu suspiro de renúncia
Depois me botaram lá dentro
E puseram por cima
As Tábuas da Lei

Mas de lá de dentro do fundo da treva do chão da cova
Eu ouvia a vozinha da Virgem Maria
Dizer que fazia sol lá fora
Dizer i n s i s t e n t e m e n t e
Que fazia sol lá fora.

O MAJOR

O major morreu.
Reformado.
Veterano da guerra do Paraguai.
Herói da ponte do Itororó.

Não quis honras militares.
Não quis discursos.

Apenas
À hora do enterro
O corneteiro de um batalhão de linha
Deu à boca do túmulo
O toque de silêncio.

ANDORINHA

Andorinha lá fora está dizendo:
– "Passei o dia à toa, à toa!"

Andorinha, andorinha, minha cantiga é mais triste!
Passei a vida à toa, à toa...

PROFUNDAMENTE

Quando ontem adormeci
Na noite de São João
Havia alegria e rumor
Estrondos de bombas luzes de Bengala
Vozes cantigas e risos
Ao pé das fogueiras acesas.

No meio da noite despertei
Não ouvi mais vozes nem risos
Apenas balões
Passavam errantes
Silenciosamente
Apenas de vez em quando
O ruído de um bonde
Cortava o silêncio
Como um túnel.
Onde estavam os que há pouco
Dançavam
Cantavam
E riam
Ao pé das fogueiras acesas?

— Estavam todos dormindo
Estavam todos deitados
Dormindo
Profundamente

*

Quando eu tinha seis anos
Não pude ver o fim da festa de São João
Porque adormeci

Hoje não ouço mais as vozes daquele tempo
Minha avó
Meu avô
Totônio Rodrigues
Tomásia
Rosa
Onde estão todos eles?

— Estão todos dormindo
Estão todos deitados
Dormindo
Profundamente.

Madrigal tão engraçadinho

Teresa você é a coisa mais bonita que eu vi até hoje na minha
[vida, inclusive o porquinho-da-índia que
[me deram quando eu tinha seis anos.

Noturno da Parada Amorim

O violoncelista estava a meio do Concerto de Schumann

Subitamente o coronel ficou transportado e começou a gritar:
[– *Je vois des anges! Je vois des anges!* – E deixou-se
[escorregar sentado pela escada abaixo.

O telefone tilintou.
Alguém chamava?... Alguém pedia socorro?...

Mas do outro lado não vinha senão o rumor de um pranto
[desesperado!...

(Eram três horas.
Todas as agências postais estavam fechadas.
Dentro da noite a voz do coronel continuava gritando: – *Je*
[*vois des anges! Je vois des anges!*)

Noturno da Rua da Lapa

A janela estava aberta. Para o quê, não sei, mas o que entrava era o vento dos lupanares, de mistura com o eco que se partia nas curvas cicloidais, e fragmentos do hino da bandeira.

Não posso atinar no que eu fazia: se meditava, se morria de espanto ou se vinha de muito longe.

Nesse momento (oh! por que precisamente nesse momento?...) é que penetrou no quarto o bicho que voava, o articulado implacável, implacável!

Compreendi desde logo não haver possibilidade alguma de evasão. Nascer de novo também não adiantava. – A bomba de flit! pensei comigo, é um inseto!

Quando o jacto fumigatório partiu, nada mudou em mim; os sinos da redenção continuaram em silêncio; nenhuma porta se abriu nem fechou. Mas o monstruoso animal FICOU MAIOR. Senti que ele não morreria nunca mais, nem sairia, conquanto não houvesse no aposento nenhum busto de Palas, nem na minh'alma, o que é pior, a recordação persistente de alguma extinta Lenora.

IRENE NO CÉU

Irene preta
Irene boa
Irene sempre de bom humor.

Imagino Irene entrando no céu:
– Licença, meu branco!
E São Pedro bonachão:
– Entra, Irene. Você não precisa pedir licença.

NAMORADOS

O rapaz chegou-se para junto da moça e disse:
– Antônia, ainda não me acostumei com o seu corpo, com a sua
[cara.

A moça olhou de lado e esperou.

– Você não sabe quando a gente é criança e de repente vê uma
[lagarta listada?

A moça se lembrava:
– A gente fica olhando...

A meninice brincou de novo nos olhos dela.

O rapaz prosseguiu com muita doçura:

– Antônia, você parece uma lagarta listada.

A moça arregalou os olhos, fez exclamações.

O rapaz concluiu:

– Antônia, você é engraçada! Você parece louca.

Vou-me embora pra Pasárgada

Vou-me embora pra Pasárgada
Lá sou amigo do rei
Lá tenho a mulher que eu quero
Na cama que escolherei
Vou-me embora pra Pasárgada

Vou-me embora pra Pasárgada
Aqui eu não sou feliz
Lá a existência é uma aventura
De tal modo inconsequente
Que Joana a Louca de Espanha
Rainha e falsa demente
Vem a ser contraparente
Da nora que nunca tive

E como farei ginástica
Andarei de bicicleta
Montarei em burro brabo
Subirei no pau de sebo
Tomarei banhos de mar!
E quando estiver cansado
Deito na beira do rio
Mando chamar a mãe-d'água
Pra me contar as histórias
Que no tempo de eu menino
Rosa vinha me contar
Vou-me embora pra Pasárgada

Em Pasárgada tem tudo
É outra civilização
Tem um processo seguro
De impedir a concepção
Tem telefone automático
Tem alcaloide à vontade
Tem prostitutas bonitas
Para a gente namorar

E quando eu estiver mais triste
Mas triste de não ter jeito
Quando de noite me der
Vontade de me matar
— Lá sou amigo do rei —
Terei a mulher que eu quero
Na cama que escolherei
Vou-me embora pra Pasárgada.

O IMPOSSÍVEL CARINHO

Escuta, eu não quero contar-te o meu desejo
Quero apenas contar-te a minha ternura
Ah se em troca de tanta felicidade que me dás
Eu te pudesse repor
– Eu soubesse repor –
No coração despedaçado
As mais puras alegrias de tua infância!

Poema de Finados

Amanhã que é dia dos mortos
Vai ao cemitério. Vai
E procura entre as sepulturas
A sepultura de meu pai.

Leva três rosas bem bonitas.
Ajoelha e reza uma oração.
Não pelo pai, mas pelo filho:
O filho tem mais precisão.

O que resta de mim na vida
É a amargura do que sofri.
Pois nada quero, nada espero.
E em verdade estou morto ali.

O ÚLTIMO POEMA

Assim eu quereria o meu último poema

Que fosse terno dizendo as coisas mais simples e menos intencionais
Que fosse ardente como um soluço sem lágrimas
Que tivesse a beleza das flores quase sem perfume
A pureza da chama em que se consomem os diamantes mais límpidos
A paixão dos suicidas que se matam sem explicação.

ESTRELA DA MANHÃ

ESTRELA DA MANHÃ

Eu quero a estrela da manhã
Onde está a estrela da manhã?
Meus amigos meus inimigos
Procurem a estrela da manhã

Ela desapareceu ia nua
Desapareceu com quem?
Procurem por toda parte

Digam que sou um homem sem orgulho
Um homem que aceita tudo
Que me importa?
Eu quero a estrela da manhã

Três dias e três noites
Fui assassino e suicida
Ladrão, pulha, falsário

Virgem malsexuada
Atribuladora dos aflitos
Girafa de duas cabeças
Pecai por todos pecai com todos

Pecai com os malandros
Pecai com os sargentos
Pecai com os fuzileiros navais
Pecai de todas as maneiras
Com os gregos e com os troianos
Com o padre e com o sacristão
Com o leproso de Pouso Alto

Depois comigo

Te esperarei com mafuás novenas cavalhadas comerei terra e direi
                              [coisas de uma ternura tão simples
Que tu desfalecerás

Procurem por toda parte
Pura ou degradada até a última baixeza
Eu quero a estrela da manhã.

Canção das duas Índias

Entre estas Índias de leste
E as Índias ocidentais
Meu Deus que distância enorme
Quantos Oceanos Pacíficos
Quantos bancos de corais
Quantas frias latitudes!
Ilhas que a tormenta arrasa
Que os terremotos subvertem
Desoladas Marambaias
Sirtes sereias Medeias
Púbis a não poder mais
Altos como a estrela-d'alva
Longínquos como Oceanias
— Brancas, sobrenaturais —
Oh inacessíveis praias!...

1931

Poema do Beco

Que importa a paisagem, a Glória, a baía, a linha do horizonte?
— O que eu vejo é o beco.

1933

BALADA DAS TRÊS MULHERES DO SABONETE ARAXÁ

As três mulheres do sabonete Araxá me invocam, me bouleversam,
                                          [me hipnotizam.
Oh, as três mulheres do sabonete Araxá às 4 horas da tarde!
O meu reino pelas três mulheres do sabonete Araxá!

Que outros, não eu, a pedra cortem
Para brutais vos adorarem,
Ó brancaranas azedas,
Mulatas cor da lua vem saindo cor de prata
Ou celestes africanas:
Que eu vivo, padeço e morro só pelas três mulheres do sabonete
                                          [Araxá!

São amigas, são irmãs, são amantes as três mulheres do sabonete
                                          [Araxá?
São prostitutas, são declamadoras, são acrobatas?
São as três Marias?

Meu Deus, serão as três Marias?

A mais nua é doirada borboleta.
Se a segunda casasse, eu ficava safado da vida, dava pra beber e nunca
                                          [mais telefonava.
Mas se a terceira morresse... Oh, então, nunca mais a minha vida
                                          [outrora teria sido um festim!

Se me perguntassem: Queres ser estrela? queres ser rei? queres uma
                                          [ilha no Pacífico? um bangalô em Copacabana?
Eu responderia: Não quero nada disso, tetrarca. Eu só quero as três
                                          [mulheres do sabonete Araxá:
O meu reino pelas três mulheres do sabonete Araxá!

Teresópolis, 1931

A FILHA DO REI

Aquela cor de cabelos
Que eu vi na filha do rei
– Mas vi tão subitamente –
Será a mesma cor da axila,
Do maravilhoso pente?
Como agora o saberei?
Vi-a tão subitamente!
Ela passou como um raio:
Só vi a cor dos cabelos.
Mas o corpo, a luz do corpo?...
Como seria o seu corpo?...
Jamais o conhecerei!

CANTIGA

Nas ondas da praia
Nas ondas do mar
Quero ser feliz
Quero me afogar.

Nas ondas da praia
Quem vem me beijar?
Quero a estrela-d'alva
Rainha do mar.

Quero ser feliz
Nas ondas do mar
Quero esquecer tudo
Quero descansar.

Marinheiro triste

Marinheiro triste
Que voltas para bordo
Que pensamentos são
Esses que te ocupam?
Alguma mulher
Amante de passagem
Que deixaste longe
Num porto de escala?
Ou tua amargura
Tem outras raízes
Largas fraternais
Mais nobres mais fundas?
Marinheiro triste
De um país distante
Passaste por mim
Tão alheio a tudo
Que nem pressentiste
Marinheiro triste
A onda viril
De fraterno afeto
Em que te envolvi.

Ias triste e lúcido
Antes melhor fora
Que voltasses bêbedo
Marinheiro triste!

E eu que para casa
Vou como tu vais
Para o teu navio,

Feroz casco sujo
Amarrado ao cais,
Também como tu
Marinheiro triste
Vou lúcido e triste.

Amanhã terás
Depois que partires
O vento do largo
O horizonte imenso
O sal do mar alto!
Mas eu, marinheiro?

— Antes melhor fora
Que voltasse bêbedo!

BOCA DE FORNO

Cara de cobra,
Cobra!
Olhos de louco,
Louca!

Testa insensata
Nariz Capeto
Cós do Capeta
Donzela rouca
Porta-estandarte
Joia boneca
De maracatu!

Pelo teu retrato
Pela tua cinta
Pela tua carta
Ah tôtô meu santo
Eh Abaluaê
Inhansã boneca
De maracatu!

No fundo do mar
Há tanto tesouro!
No fundo do céu
Há tanto suspiro!
No meu coração
Tanto desespero!

Ah tôtô meu pai
Quero me rasgar
Quero me perder!

Cara de cobra,
Cobra!
Olhos de louco,
Louca!
Cussaruim boneca
De maracatu!

ORAÇÃO A NOSSA SENHORA DA BOA MORTE

Fiz tantos versos a Teresinha...
Versos tão tristes, nunca se viu!
Pedi-lhe coisas. O que eu pedia
Era tão pouco! Não era glória...
Nem era amores... Nem foi dinheiro...
Pedia apenas mais alegria:
Santa Teresa nunca me ouviu!

Para outras santas voltei os olhos.
Porém as santas são impassíveis
Como as mulheres que me enganaram.
Desenganei-me das outras santas
(Pedi a muitas, rezei a tantas)
Até que um dia me apresentaram
A Santa Rita dos Impossíveis.

Fui despachado de mãos vazias!
Dei volta ao mundo, tentei a sorte.
Nem alegrias mais peço agora,
Que eu sei o avesso das alegrias.
Tudo que viesse, viria tarde!
O que na vida procurei sempre,
– Meus impossíveis de Santa Rita, –
Dar-me-eis um dia, não é verdade?
Nossa Senhora da Boa Morte!

1931

Momento num café

Quando o enterro passou
Os homens que se achavam no café
Tiraram o chapéu maquinalmente
Saudavam o morto distraídos
Estavam todos voltados para a vida
Absortos na vida
Confiantes na vida.

Um no entanto se descobriu num gesto largo e demorado
Olhando o esquife longamente
Este sabia que a vida é uma agitação feroz e sem finalidade
Que a vida é traição
E saudava a matéria que passava
Liberta para sempre da alma extinta.

CONTRIÇÃO

Quero banhar-me nas águas límpidas
Quero banhar-me nas águas puras
Sou a mais baixa das criaturas
    Me sinto sórdido

Confiei às feras as minhas lágrimas
Rolei de borco pelas calçadas
Cobri meu rosto de bofetadas
    Meu Deus valei-me

Vozes da infância contai a história
Da vida boa que nunca veio
E eu caia ouvindo-a no calmo seio
    Da eternidade.

SACHA E O POETA

Quando o poeta aparece,
Sacha levanta os olhos claros,
Onde a surpresa é o sol que vai nascer.

O poeta a seguir diz coisas incríveis,
Desce ao fogo central da Terra,
Sobe na ponta mais alta das nuvens,
Faz gurugutu pif paf,
Dança de velho,
Vira Exu.
Sacha sorri como o primeiro arco-íris.

O poeta estende os braços, Sacha vem com ele.

A serenidade voltou de muito longe.
Que se passou do outro lado?
Sacha mediunizada
— Ah-pa-papapá-papá —
Transmite em Morse ao poeta
A última mensagem dos Anjos.

1931

JACQUELINE

Jacqueline morreu menina.
Jacqueline morta era mais bonita do que os anjos.
Os anjos!... Bem sei que não os há em parte alguma.
Há é mulheres extraordinariamente belas que morrem ainda meninas.

Houve tempo em que olhei para os teus retratos de menina como
       [olho agora para a pequena imagem de Jacqueline morta.
Eras tão bonita!
Eras tão bonita, que mererias ter morrido na idade de Jacqueline

— Pura como Jacqueline.

D. Janaína

D. Janaína
Sereia do mar
D. Janaína
De maiô encarnado
D. Janaína
Vai se banhar.

D. Janaína
Princesa do mar
D. Janaína
Tem muitos amores
É o rei do Congo
É o rei de Aloanda
É o sultão dos matos
É S. Salavá!

Saravá saravá
D. Janaína
Rainha do mar!

D. Janaína
Princesa do mar
Dai-me licença
Pra eu também brincar
No vosso reinado.

TREM DE FERRO

Café com pão
Café com pão
Café com pão

Virge Maria que foi isto maquinista?

Agora sim
Café com pão
Agora sim
Voa, fumaça
Corre, cerca
Ai seu foguista
Bota fogo
Na fornalha
Que eu preciso
Muita força
Muita força
Muita força

Oô...
Foge, bicho
Foge, povo
Passa ponte
Passa poste
Passa pasto
Passa boi
Passa boiada
Passa galho
De ingazeira

Debruçada
No riacho
Que vontade
De cantar!

Oô...
Quando me prendero
No canaviá
Cada pé de cana
Era um oficiá
Oô...
Menina bonita
Do vestido verde
Me dá tua boca
Pra matá minha sede
Oô...
Vou mimbora vou mimbora
Não gosto daqui
Nasci no sertão
Sou de Ouricuri
Oô...

Vou depressa
Vou correndo
Vou na toda
Que só levo
Pouca gente
Pouca gente
Pouca gente...

Tragédia brasileira

Misael, funcionário da Fazenda, com 63 anos de idade,

Conheceu Maria Elvira na Lapa — prostituída, com sífilis, dermite nos dedos, uma aliança empenhada e os dentes em petição de miséria.

Misael tirou Maria Elvira da vida, instalou-a num sobrado no Estácio, pagou médico, dentista, manicura... Dava tudo quanto ela queria.

Quando Maria Elvira se apanhou de boca bonita, arranjou logo um namorado.

Misael não queria escândalo. Podia dar uma surra, um tiro, uma facada. Não fez nada disso: mudou de casa.

Viveram três anos assim.

Toda vez que Maria Elvira arranjava namorado, Misael mudava de casa.

Os amantes moraram no Estácio, Rocha, Catete, Rua General Pedra, Olaria, Ramos, Bonsucesso, Vila Isabel, Rua Marquês de Sapucaí, Niterói, Encantado, Rua Clapp, outra vez no Estácio, Todos os Santos, Catumbi, Lavradio, Boca do Mato, Inválidos...

Por fim na Rua da Constituição, onde Misael, privado de sentidos e de inteligência, matou-a com seis tiros, e a polícia foi encontrá-la caída em decúbito dorsal, vestida de organdi azul.

1933

Rondó dos cavalinhos

Os cavalinhos correndo,
E nós, cavalões, comendo...
Tua beleza, Esmeralda,
Acabou me enlouquecendo.

Os cavalinhos correndo,
E nós, cavalões, comendo...
O sol tão claro lá fora,
E em minh'alma – anoitecendo!

Os cavalinhos correndo,
E nós, cavalões, comendo...
Alfonso Reyes partindo,
E tanta gente ficando...

Os cavalinhos correndo,
E nós, cavalões, comendo...
A Itália falando grosso,
A Europa se avacalhando...

Os cavalinhos correndo,
E nós, cavalões, comendo...
O Brasil politicando,
Nossa! A poesia morrendo...
O sol tão claro lá fora,
O sol tão claro, Esmeralda,
E em minh'alma – anoitecendo!

Flores murchas

Pálidas crianças
Mal desabrochadas
Na manhã da vida!
Tristes asiladas
Que pendeis cansadas
Como flores murchas!

Pálidas crianças
Que me recordais
Minhas esperanças!

Pálidas meninas
Sem amor de mãe,
Pálidas meninas
Uniformizadas,
Quem vos arrancara
Dessas vestes tristes
Onde a caridade
Vos amortalhou!

Pálidas meninas
Sem olhar de pai,
Ai quem vos dissera,
Ai quem vos gritara:
— Anjos, debandai!

Mas ninguém vos diz
Nem ninguém vos dá
Mais que o olhar de pena

Quando desfilais,
Açucenas murchas,
Procissão de sombras!

Ao cair da tarde
Vós me recordais
– Ó meninas tristes! –
Minhas esperanças!
Minhas esperanças
– Meninas cansadas,
Pálidas crianças
A quem ninguém diz:
– Anjos, debandai!...

A ESTRELA E O ANJO

Vésper caiu cheia de pudor na minha cama
Vésper em cuja ardência não havia a menor parcela de sensualidade

Enquanto eu gritava o seu nome três vezes
Dois grandes botões de rosa murcharam

E o meu anjo da guarda quedou-se de mãos postas no desejo insatisfeito
[de Deus.

Lira dos cinquent'anos

OURO PRETO

Ouro branco! Ouro preto! Ouro podre! De cada
Ribeirão trepidante e de cada recosto
De montanha o metal rolou na cascalhada
Para o fausto d'El-Rei, para a glória do imposto.

Que resta do esplendor de outrora? Quase nada:
Pedras... templos que são fantasmas ao sol-posto.
Esta agência postal era a Casa de Entrada...
Este escombro foi um solar... Cinza e desgosto!

O bandeirante decaiu – é funcionário.
Último sabedor da crônica estupenda,
Chico Diogo escarnece o último visionário.

E avulta apenas, quando a noite de mansinho
Vem, na pedra-sabão lavrada como renda,
– Sombra descomunal, a mão do Aleijadinho!

O MARTELO

As rodas rangem na curva dos trilhos
Inexoravelmente.
Mas eu salvei do meu naufrágio
Os elementos mais cotidianos.
O meu quarto resume o passado em todas as casas que habitei.

Dentro da noite
No cerne duro da cidade
Me sinto protegido.
Do jardim do convento
Vem o pio da coruja.
Doce como um arrulho de pomba.
Sei que amanhã quando acordar
Ouvirei o martelo do ferreiro
Bater corajoso o seu cântico de certezas.

MAÇÃ

Por um lado te vejo como um seio murcho
Pelo outro como um ventre de cujo umbigo pende ainda o cordão
[placentário

És vermelha como o amor divino

Dentro de ti em pequenas pevides
Palpita a vida prodigiosa
Infinitamente

E quedas tão simples
Ao lado de um talher
Num quarto pobre de hotel.

Petrópolis, 25-2-1938

COSSANTE

Ondas da praia onde vos vi,
Olhos verdes sem dó de mim,
        Ai Avatlântica!

Ondas da praia onde morais,
Olhos verdes intersexuais.
        Ai Avatlântica!

Olhos verdes sem dó de mim,
Olhos verdes, de ondas sem fim,
        Ai Avatlântica!

Olhos verdes, de ondas sem dó,
Por quem me rompo, exausto e só,
        Ai Avatlântica!

Olhos verdes, de ondas sem fim,
Por quem jurei de vos possuir,
        Ai Avatlântica!

Olhos verdes sem lei nem rei
Por quem juro vos esquecer,
        Ai Avatlântica!

CANTAR DE AMOR

Quer'eu en maneyra de proençal
Fazer agora hum cantar d'amor...
D. Dinis

Mha senhor, com'oje dia son,

Atan cuitad'e sen cor assi!

E par Deus non sei que farei i,

Ca non dormho á mui gran sazon.

     Mha senhor, ai meu lum'e meu ben,

     Meu coraçon non sei o que ten.

Noit'e dia no meu coraçon

Nulha ren se non a morte vi,

E pois tal coita non mereci,

Moir'eu logo, se Deus mi perdon.

     Mha senhor, ai meu lum'e meu ben,

     Meu coraçon non sei o que ten.

Des oimais o viver m'é prison:

Grave di'aquel en que naci!

Mha senhor, ai rezade por mi,

Ca perç'o sen e perç'a razon.

     Mha senhor, ai meu lum'e meu ben,

     Meu coraçon non sei o que ten.

Versos de Natal

Espelho, amigo verdadeiro,
Tu refletes as minhas rugas,
Os meus cabelos brancos,
Os meus olhos míopes e cansados.
Espelho, amigo verdadeiro,
Mestre do realismo exato e minucioso,
Obrigado, obrigado!

Mas se fosses mágico,
Penetrarias até ao fundo desse homem triste,
Descobririas o menino que sustenta esse homem,
O menino que não quer morrer,
Que não morrerá senão comigo,
O menino que todos os anos na véspera do Natal
Pensa ainda em pôr os seus chinelinhos atrás da porta.

1939

Soneto italiano

Frescura das sereias e do orvalho,
Graça dos brancos pés dos pequeninos,
Voz das manhãs cantando pelos sinos,
Rosa mais alta no mais alto galho:

De quem me valerei, se não me valho
De ti, que tens a chave dos destinos
Em que arderam meus sonhos cristalinos
Feitos cinza que em pranto ao vento espalho?

Também te vi chorar... Também sofreste
A dor de ver secarem pela estrada
As fontes da esperança... E não cedeste!

Antes, pobre, despida e trespassada,
Soubeste dar à vida, em que morreste,
Tudo, – à vida, que nunca te deu nada!

28 de janeiro de 1939

Soneto Inglês Nº 1

Quando a morte cerrar meus olhos duros
— Duros de tantos vãos padecimentos,
Que pensarão teus peitos imaturos
Da minha dor de todos os momentos?
Vejo-te agora alheia, e tão distante:
Mais que distante — isenta. E bem prevejo,
Desde já bem prevejo o exato instante
Em que de outro será não teu desejo,
Que o não terás, porém teu abandono,
Tua nudez! Um dia hei de ir embora
Adormecer no derradeiro sono.
Um dia chorarás... Que importa? Chora.
    Então eu sentirei muito mais perto
    De mim feliz, teu coração incerto.

1940

Soneto inglês nº 2

Aceitar o castigo imerecido,
Não por fraqueza, mas por altivez.
No tormento mais fundo o teu gemido
Trocar num grito de ódio a quem o fez.
As delícias da carne e pensamento
Com que o instinto da espécie nos engana
Sobpor ao generoso sentimento
De uma afeição mais simplesmente humana.
Não tremer de esperança nem de espanto.
Nada pedir nem desejar, senão
A coragem de ser um novo santo
Sem fé num mundo além do mundo. E então
    Morrer sem uma lágrima, que a vida
    Não vale a pena e a dor de ser vivida.

ÁGUA-FORTE

O preto no branco,
O pente na pele:
Pássaro espalmado
No céu quase branco.

Em meio do pente,
A concha bivalve
Num mar de escarlata.
Concha, rosa ou tâmara?

No escuro recesso,
As fontes da vida
A sangrar inúteis
Por duas feridas.

Tudo bem oculto
Sob as aparências
Da água-forte simples:
De face, de flanco,
O preto no branco.

A MORTE ABSOLUTA

Morrer.
Morrer de corpo e de alma.
Completamente.

Morrer sem deixar o triste despojo da carne,
A exangue máscara de cera,
Cercada de flores,
Que apodrecerão – felizes! – num dia,
Banhada de lágrimas
Nascidas menos da saudade do que do espanto da morte.

Morrer sem deixar porventura uma alma errante...
A caminho do céu?
Mas que céu pode satisfazer teu sonho de céu?

Morrer sem deixar um sulco, um risco, uma sombra,
A lembrança de uma sombra
Em nenhum coração, em nenhum pensamento,
Em nenhuma epiderme.

Morrer tão completamente
Que um dia ao lerem o teu nome num papel
Perguntem: "Quem foi?..."

Morrer mais completamente ainda,
– Sem deixar sequer esse nome.

A ESTRELA

Vi uma estrela tão alta,
Vi uma estrela tão fria!
Vi uma estrela luzindo
Na minha vida vazia.

Era uma estrela tão alta!
Era uma estrela tão fria!
Era uma estrela sozinha
Luzindo no fim do dia.

Por que da sua distância
Para a minha companhia
Não baixava aquela estrela?
Por que tão alta luzia?

E ouvi-a na sombra funda
Responder que assim fazia
Para dar uma esperança
Mais triste ao fim do meu dia.

MOZART NO CÉU

No dia 5 de dezembro de 1791 Wolfgang Amadeus Mozart entrou
    [no céu, como um artista de circo, fazendo piruetas
    [extraordinárias sobre um mirabolante cavalo branco.

Os anjinhos atônitos diziam: Que foi? Que não foi?
Melodias jamais ouvidas voavam nas linhas suplementares superiores
               [da pauta.
Um momento se suspendeu a contemplação inefável.
A Virgem beijou-o na testa
E desde então Wolfgang Amadeus Mozart foi o mais moço dos anjos.

Canção da Parada do Lucas

Parada do Lucas
— O trem não parou.

Ah, se o trem parasse
Minha alma incendida
Pediria à Noite
Dois seios intactos.

Parada do Lucas
— O trem não parou.

Ah, se o trem parasse
Eu iria aos mangues
Dormir na escureza
Das águas defuntas.

Parada do Lucas
— O trem não parou.

Nada aconteceu
Senão a lembrança
Do crime espantoso
Que o tempo engoliu.

Canção do vento e da minha vida

O vento varria as folhas,
O vento varria os frutos,
O vento varria as flores...
 E a minha vida ficava
 Cada vez mais cheia
 De frutos, de flores, de folhas.

O vento varria as luzes
O vento varria as músicas,
O vento varria os aromas...
 E a minha vida ficava
 Cada vez mais cheia
 De aromas, de estrelas, de cânticos.

O vento varria os sonhos
E varria as amizades...
O vento varria as mulheres.
 E a minha vida ficava
 Cada vez mais cheia
 De afetos e de mulheres.

O vento varria os meses
E varria os teus sorrisos...
O vento varria tudo!
 E a minha vida ficava
 Cada vez mais cheia
 De tudo.

Canção de muitas Marias

Uma, duas, três Marias,
Tira o pé da noite escura.
Se uma Maria é demais,
Duas, três, que não seria?

Uma é Maria da Graça,
Outra é Maria Adelaide:
Uma tem o pai pau-d'água,
Outra tem o pai alcaide.

A terceira é tão distante,
Que só vendo por binóculo.
Essa é Maria das Neves,
Que chora e sofre do fígado!

Há mais Marias na terra.
Tantas que é um não acabar,
— Mais que as estrelas no céu,
Mais que as folhas na floresta,
Mais que as areias no mar!

Por uma saltei de vara,
Por outra estudei tupi.
Mas a melhor das Marias
Foi aquela que eu perdi.

Essa foi a Mária Cândida
(Mária digam por favor),
Minha Maria enfermeira,

Tão forte e morreu de gripe,
Tão pura e não teve sorte,
Maria do meu amor.

E depois dessa Maria,
Que foi cândida no nome,
Cândida no coração;
Que em vida foi a das Dores,
E hoje é Maria do Céu:
Não cantarei mais nenhuma,
Que a minha lira estalou,
Que a minha lira morreu!

RONDÓ DO CAPITÃO

Bão balalão,
Senhor capitão,
Tirai este peso
Do meu coração.
Não é de tristeza,
Não é de aflição:
É só de esperança,
Senhor capitão!
A leve esperança,
A aérea esperança...
Aérea, pois não!
– Peso mais pesado
Não existe não.
Ah, livrai-me dele,
Senhor capitão!

8 de outubro de 1940

Última canção do beco

Beco que cantei num dístico
Cheio de elipses mentais,
Beco das minhas tristezas,
Das minhas perplexidades
(Mas também dos meus amores,
Dos meus beijos, dos meus sonhos),
Adeus para nunca mais!

Vão demolir esta casa.
Mas meu quarto vai ficar,
Não como forma imperfeita
Neste mundo de aparências:
Vai ficar na eternidade,
Com seus livros, com seus quadros,
Intacto, suspenso no ar!

Beco de sarças de fogo,
De paixões sem amanhãs,
Quanta luz mediterrânea
No esplendor da adolescência
Não recolheu nestas pedras
O orvalho das madrugadas,
A pureza das manhãs!

Beco das minhas tristezas.
Não me envergonhei de ti!
Foste rua de mulheres?
Todas são filhas de Deus!
Dantes foram carmelitas...
E eras só de pobres quando,
Pobre, vim morar aqui.

Lapa – Lapa do Desterro –,
Lapa que tanto pecais!
(Mas quando bate seis horas,
Na primeira voz dos sinos,
Como na voz que anunciava
A conceição de Maria,
Que graças angelicais!)

Nossa Senhora do Carmo,
De lá de cima do altar,
Pede esmolas para os pobres,
– Para mulheres tão tristes,
Para mulheres tão negras,
Que vêm nas portas do templo
De noite se agasalhar.

Beco que nasceste à sombra
De paredes conventuais,
És como a vida, que é santa
Pesar de todas as quedas.
Por isso te amei constante
E canto para dizer-te
Adeus para nunca mais!

25 de março de 1942

BELO BELO

Belo belo belo,
Tenho tudo quanto quero.

Tenho o fogo de constelações extintas há milênios.
E o risco brevíssimo – que foi? passou! – de tantas estrelas cadentes.

A aurora apaga-se,
E eu guardo as mais puras lágrimas da aurora.

O dia vem, e dia adentro
Continuo a possuir o segredo grande da noite.

Belo belo belo,
Tenho tudo quanto quero.

Não quero o êxtase nem os tormentos.
Não quero o que a terra só dá com trabalho.

As dádivas dos anjos são inaproveitáveis:
Os anjos não compreendem os homens.

Não quero amar,
Não quero ser amado.
Não quero combater,
Não quero ser soldado.

– Quero a delícia de poder sentir as coisas mais simples.

ACALANTO DE JOHN TALBOT

Dorme, meu filhinho,
Dorme sossegado.
Dorme, que a teu lado
Cantarei baixinho.
O dia não tarda...
Vai amanhecer:
Como é frio o ar!
O anjinho da guarda
Que o Senhor te deu,
Pode adormecer,
Pode descansar,
Que te guardo eu.

8 de agosto de 1942

TESTAMENTO

O que não tenho e desejo
É que melhor me enriquece.
Tive uns dinheiros – perdi-os...
Tive amores – esqueci-os.
Mas no maior desespero
Rezei: ganhei essa prece.

Vi terras da minha terra.
Por outras terras andei.
Mas o que ficou marcado
No meu olhar fatigado,
Foram terras que inventei.

Gosto muito de crianças:
Não tive um filho de meu.
Um filho!... Não foi de jeito...
Mas trago dentro do peito
Meu filho que não nasceu.

Criou-me, desde eu menino,
Para arquiteto meu pai.
Foi-se-me um dia a saúde...
Fiz-me arquiteto? Não pude!
Sou poeta menor, perdoai!

Não faço versos de guerra.
Não faço porque não sei.
Mas num torpedo-suicida
Darei de bom grado a vida
Na luta em que não lutei!

29 de janeiro de 1943

Gazal em louvor de Hafiz

Escuta o gazal que fiz,
Darling, em louvor de Hafiz:

– Poeta de Chiraz, teu verso
Tuas mágoas e as minhas diz.

Pois no mistério do mundo
Também me sinto infeliz.

Falaste: "Amarei constante
Aquela que não me quis."

E as filhas de Samarcanda,
Cameleiros e sufis

Ainda repetem os cantos
Em que choras e sorris.

As bem-amadas ingratas,
São pó; tu, vives, Hafiz!

Petrópolis, 1943

UBIQUIDADE

Estás em tudo que penso,
Estás em quanto imagino:
Estás no horizonte imenso,
Estás no grão pequenino.

Estás na ovelha que pasce,
Estás no rio que corre:
Estás em tudo que nasce,
Estás em tudo que morre.

Em tudo estás, nem repousas,
Ó ser tão mesmo e diverso!
(Eras no início das cousas,
Serás no fim do universo.)

Estás na alma e nos sentidos.
Estás no espírito, estás
Na letra, e, os tempos cumpridos,
No céu, no céu estarás.

Petrópolis, 11-3-1943

PISCINA

Que silêncio enorme!
Na piscina verde
Gorgoleja trépida
A água da carranca.

Só a lua se banha
— Lua gorda e branca —
Na piscina verde.
Como a lua é branca!

Corre um arrepio
Silenciosamente
Na piscina verde:
Lua ela não quer.

Ah o que ela quer
A piscina verde
É o corpo queimado
De certa mulher
Que jamais se banha
Na espadana branca
Da água da carranca.

Petrópolis, 25-3-1943

PEREGRINAÇÃO

O córrego é o mesmo,
Mesma, aquela árvore,
A casa, o jardim.

Meus passos a esmo
(Os passos e o espírito)
Vão pelo passado,
Ai tão devastado,
Recolhendo triste
Tudo quanto existe
Ainda ali de mim
– Mim daqueles tempos!

Petrópolis, 12-3-1943

Eu vi uma rosa

Eu vi uma rosa
– Uma rosa branca –
Sozinha no galho.
No galho? Sozinha
No jardim, na rua.

Sozinha no mundo.

Em torno, no entanto,
Ao sol de mei-dia,
Toda a natureza
Em formas e cores
E sons esplendia.

Tudo isso era excesso.

A graça essencial,
Mistério inefável
– Sobrenatural –
Da vida e do mundo,
Estava ali na rosa
Sozinha no galho.

Sozinha no tempo.

Tão pura e modesta,
Tão perto do chão,
Tão longe na glória
Da mística altura,
Dir-se-ia que ouvisse

Do arcanjo invisível
As palavras santas
De outra Anunciação.

Petrópolis, 1943

Velha chácara

A casa era por aqui...
Onde? Procuro-a e não acho.
Ouço uma voz que esqueci:
É a voz deste mesmo riacho.

Ah quanto tempo passou!
(Foram mais de cinquenta anos.)
Tantos que a morte levou!
(E a vida... nos desenganos...)

A usura fez tábua rasa
Da velha chácara triste:
Não existe mais a casa...

— Mas o menino ainda existe.

1944

CARTA DE BRASÃO

Escudo vermelho nele uma Bandeira
Quadrada de ouro
E nele um leão rompente
Azul, armado.
Língua, dentes e unhas de vermelho.
E a haste da Bandeira de ouro.
E a bandeira com um filete de prata
Em quadra.
Paquife de prata e azul.
Elmo de prata cerrado
Guarnecido de ouro.
E a mesma bandeira por timbre.

Esta é a minha carta de brasão.
Por isso teu nome
Não chamarei mais Rosa, Teresa ou Esmeralda:
Teu nome chamarei agora
Candelária.

22-6-1943

BELO BELO

BRISA

Vamos viver no Nordeste, Anarina.
Deixarei aqui meus amigos, meus livros, minhas riquezas, minha
[vergonha.
Deixarás aqui tua filha, tua avó, teu marido, teu amante.
Aqui faz muito calor.
No Nordeste faz calor também.
Mas lá tem brisa:
Vamos viver de brisa, Anarina.

POEMA SÓ PARA JAIME OVALLE

Quando hoje acordei, ainda fazia escuro

(Embora a manhã já estivesse avançada).

Chovia.

Chovia uma triste chuva de resignação

Como contraste e consolo ao calor tempestuoso da noite.

Então me levantei,

Bebi o café que eu mesmo preparei,

Depois me deitei novamente, acendi um cigarro e fiquei pensando...

— Humildemente pensando na vida e nas mulheres que amei.

Escusa

Eurico Alves, poeta baiano,
Salpicado de orvalho, leite cru e tenro cocô de cabrito,
Sinto muito, mas não posso ir a Feira de Sant'Ana.

Sou poeta da cidade.
Meus pulmões viraram máquinas inumanas e aprenderam a
     [respirar o gás carbônico das salas de cinema.
Como o pão que o diabo amassou.
Bebo leite de lata.
Falo com A., que é ladrão.
Aperto a mão de B., que é assassino.
Há anos que não vejo romper o sol, que não lavo os olhos nas
       [cores das madrugadas.

Eurico Alves, poeta baiano,
Não sou mais digno de respirar o ar puro dos currais da roça.

TEMA E VOLTAS

Mas para quê
Tanto sofrimento,
Se nos céus há o lento
Deslizar da noite?

Mas para quê
Tanto sofrimento,
Se lá fora o vento
É um canto na noite?

Mas para quê
Tanto sofrimento,
Se agora, ao relento,
Cheira a flor da noite?

Mas para quê
Tanto sofrimento,
Se o meu pensamento
É livre na noite?

Canto de Natal

O nosso menino
Nasceu em Belém.
Nasceu tão somente
Para querer bem.

Nasceu sobre as palhas
O nosso menino.
Mas a mãe sabia
Que ele era divino.

Vem para sofrer
A morte na cruz,
O nosso menino.
Seu nome é Jesus.

Por nós ele aceita
O humano destino:
Louvemos a glória
De Jesus menino.

Sextilhas Românticas

Paisagens da minha terra,
Onde o rouxinol não canta
— Mas que importa o rouxinol?
Frio, nevoeiros da serra
Quando a manhã se levanta
Toda banhada de sol!

Sou romântico? Concedo.
Exibo, sem evasiva,
A alma ruim que Deus me deu.
Decorei "Amor e medo",
"No lar", "Meus oito anos"... Viva
José Casimiro Abreu!

Sou assim, por vício inato.
Ainda hoje gosto de *Diva*,
Nem não posso renegar
Peri tão pouco índio, é fato,
Mas tão brasileiro... Viva,
Viva José de Alencar!

Paisagens da minha terra,
Onde o rouxinol não canta
— Pinhões para o rouxinol!
Frio, nevoeiros da serra
Quando a manhã se levanta
Toda banhada de sol!

Ai tantas lembranças boas!
Massangana de Nabuco!
Muribara de meus pais!
Lagoas das Alagoas,
Rios do meu Pernambuco,
Campos de Minas Gerais!

17 de março de 1945

IMPROVISO

Cecília, és libérrima e exata
Como a concha.
Mas a concha é excessiva matéria,
E a matéria mata.

Cecília, és tão forte e tão frágil
Como a onda ao termo da luta.
Mas a onda é água que afoga:
Tu, não, és enxuta.

Cecília, és, como o ar,
Diáfana, diáfana.
Mas o ar tem limites:
Tu, quem te pode limitar?

Definição:
Concha, mas de orelha;
Água, mas de lágrima;
Ar com sentimento.
– Brisa, viração
Da asa de uma abelha.

7 de outubro de 1945

O HOMEM E A MORTE

Romance desentranhado de
"Um retrato da morte" de Fidelino de Figueiredo.

O homem já estava deitado
Dentro da noite sem cor.
Ia adormecendo, e nisto
À porta um golpe soou.
Não era pancada forte.
Contudo, ele se assustou,
Pois nela uma qualquer coisa
De pressago adivinhou.
Levantou-se e junto à porta
– Quem bate? ele perguntou.
– Sou eu, alguém lhe responde.
– Eu quem? torna. – A Morte sou.
Um vulto que bem sabia
Pela mente lhe passou:
Esqueleto armado de foice
Que a mãe lhe um dia levou.
Guardou-se de abrir a porta,
Antes ao leito voltou,
E nele os membros gelados
Cobriu, hirto de pavor.
Mas a porta, manso, manso,
Se foi abrindo e deixou
Ver – uma mulher ou anjo?
Figura toda banhada
De suave luz interior.
A luz de quem nesta vida

Tudo viu, tudo perdoou.

Olhar inefável como

De quem ao peito o criou.

Sorriso igual ao da amada

Que amara com mais amor.

— Tu és a Morte? pergunta.

E o Anjo torna: — A Morte sou!

Venho trazer-te descanso

Do viver que te humilhou.

— Imaginava-te feia,

Pensava em ti com terror...

És mesmo a Morte? ele insiste.

— Sim, torna o Anjo, a Morte sou,

Mestra que jamais engana,

A tua amiga melhor.

E o Anjo foi-se aproximando,

A fronte do homem tocou,

Com infinita doçura

As magras mãos lhe compôs.

Depois com o maior carinho

Os dois olhos lhe cerrou...

Era o carinho inefável

De quem ao peito o criou.

Era a doçura da amada

Que amara com mais amor.

7 de dezembro de 1945

Letra para uma valsa romântica

A tarde agoniza
Ao santo acalanto
Da noturna brisa.
E eu, que também morro,
Morro sem consolo,
Se não vens, Elisa!

Ai nem te humaniza
O pranto que tanto
Nas faces desliza
Do amante que pede
Suplicantemente
Teu amor, Elisa!

Ri, desdenha, pisa!
Meu canto, no entanto,
Mais te diviniza,
Mulher diferente,
Tão indiferente,
Desumana Elisa!

No vosso e em meu coração

Espanha no coração:
No coração de Neruda,
No vosso e em meu coração.
Espanha da liberdade,
Não a Espanha da opressão.
Espanha republicana:
A Espanha de Franco, não!
Velha Espanha de Pelaio,
Do Cid, do Grã-Capitão!
Espanha de honra e verdade,
Não a Espanha da traição!
Espanha de Dom Rodrigo,
Não a do Conde Julião!
Espanha republicana:
A Espanha de Franco, não!
Espanha dos grandes místicos,
Dos santos poetas, de João
Da Cruz, de Teresa de Ávila
E de Frei Luís de Leão!
Espanha da livre crença,
Jamais a da Inquisição!
Espanha de Lope e Góngora,
De Goia e Cervantes, não
A de Filipe Segundo
Nem Fernando, o balandrão!
Espanha que se batia
Contra o corso Napoleão!
Espanha da liberdade:
A Espanha de Franco, não!

Espanha republicana,
Noiva da revolução!
Espanha atual de Picasso,
De Casals, de Lorca, irmão
Assassinado em Granada!
Espanha no coração
De Pablo Neruda, Espanha
No vosso e em meu coração!

A MÁRIO DE ANDRADE AUSENTE

Anunciaram que você morreu.
Meus olhos, meus ouvidos testemunham:
A alma profunda, não.
Por isso não sinto agora a sua falta.

Sei bem que ela virá
(Pela força persuasiva do tempo).
Virá súbito um dia,
Inadvertida para os demais.
Por exemplo assim:
À mesa conversarão de uma coisa e outra,
Uma palavra lançada à toa
Baterá na franja dos lutos de sangue,
Alguém perguntará em que estou pensando,
Sorrirei sem dizer que em você
Profundamente.

Mas agora não sinto a sua falta.
(É sempre assim quando o ausente
Partiu sem se despedir:
Você não se despediu.)

Você não morreu: ausentou-se.
Direi: Faz tempo que ele não escreve.
Irei a São Paulo: você não virá ao meu hotel.
Imaginarei: Está na chacrinha de São Roque.
Saberei que não, você ausentou-se. Para outra vida?
A vida é uma só. A sua continua

Na vida que você viveu.

Por isso não sinto agora a sua falta.

O LUTADOR

Buscou no amor o bálsamo da vida,
Não encontrou senão veneno e morte.
Levantou no deserto a roca-forte
Do egoísmo, e a roca em mar foi submergida!

Depois de muita pena e muita lida,
De espantoso caçar de toda sorte,
Venceu o monstro de desmedido porte
— A ululante Quimera espavorida!

Quando morreu, línguas de sangue ardente,
Aleluias de fogo acometiam,
Tomavam todo o céu de lado a lado,

E longamente, indefinidamente,
Como um coro de ventos sacudiam
Seu grande coração transverberado!

30 de setembro – 1º de outubro de 1945

BELO BELO

Belo belo minha bela
Tenho tudo que não quero
Não tenho nada que quero
Não quero óculos nem tosse
Nem obrigação de voto
Quero quero
Quero a solidão dos píncaros
A água da fonte escondida
A rosa que floresceu
Sobre a escarpa inacessível
A luz da primeira estrela
Piscando no lusco-fusco
Quero quero
Quero dar a volta ao mundo
Só num navio de vela
Quero rever Pernambuco
Quero ver Bagdá e Cusco
Quero quero
Quero o moreno de Estela
Quero a brancura de Elisa
Quero a saliva de Bela
Quero as sardas de Adalgisa
Quero quero tanta coisa
Belo belo
Mas basta de lero-lero
Vida noves fora zero.

Petrópolis, fevereiro de 1947

NEOLOGISMO

Beijo pouco, falo menos ainda.
Mas invento palavras
Que traduzem a ternura mais funda
E mais cotidiana.
Inventei, por exemplo, o verbo teadorar.
Intransitivo:
Teadoro, Teodora.

Petrópolis, 25 de fevereiro de 1947

A REALIDADE E A IMAGEM

O arranha-céu sobe no ar puro lavado pela chuva
E desce refletido na poça de lama do pátio.
Entre a realidade e a imagem, no chão seco que as separa,
Quatro pombas passeiam.

POEMA PARA SANTA ROSA

Pousa na minha a tua mão, protonotária.

O alexandrino, ainda que sem a cesura mediana, aborrece-me.

Depois, eu mesmo já escrevi: Pousa a mão na minha testa.

E Raimundo Correia: "Pousa aqui, pousa ali, etc."

É Pouso demais. Basta Pouso Alto.

Tão distante e tão presente. Como uma reminiscência da infância.

Pousa na minha a tua mão, protonotária.

Gosto de "protonotária".

Me lembra meu pai.

E pinta bem a quem eu quero.

Sei que ela vai perguntar: — O que é protonotária?

Responderei:

— Protonotário é o dignitário da Cúria Romana que expede, nas
                    [grandes causas, os atos que os simples notários
                          [apostólicos expedem nas pequenas.

E ela: — Será o Benedito?

— Meu bem, minha ternura é um fato, mas não gosta de se mostrar:

É dentuça e dissimulada.

Santa Rosa me compreende.

Pousa na minha a tua mão, protonotária.

RESPOSTA A VINICIUS

Poeta sou; pai, pouco; irmão, mais.
Lúcido, sim; eleito, não.
E bem triste de tantos ais
Que me enchem a imaginação.

Com que sonho? Não sei bem não.
Talvez com me bastar, feliz
– Ah feliz como jamais fui! –,
Arrancando do coração
– Arrancando pela raiz –
Este anseio infinito e vão
De possuir o que me possui.

VISITA NOTURNA

Bateram à minha porta,
Fui abrir, não vi ninguém.
Seria a alma da morta?

Não vi ninguém, mas alguém
Entrou no quarto deserto
E o quarto logo mudou.
Deitei-me na cama, e perto
Da cama alguém se sentou.

Seria a sombra da morta?
Que morta? A inocência? A infância?
O que concebido, abortou,
Ou o que foi e hoje é só distância?

Pois bendita a que voltou!
Três vezes bendita a morta,
Quem quer que ela seja, a morta
Que bateu à minha porta.

Rio, dezembro de 1947

JOSÉ CLÁUDIO

Da outra vida,
Moreno,
Olha-me de face,
Com o bonito sorriso Pontual
Adoçado pela bondade do nosso avô Costa Ribeiro.
Olha-me de face,
Bem de face,
Com os olhos leais,
Moreno.

Conta-me o que tens visto,
Que músicas ouves agora.
Lembras-te ainda do cheiro dos banguês de Pernambuco?
Das tuas correrias de menino pelos descampados da Gávea?
Lembras-te ainda da ponte que construíste sobre o Paraguai?
Do pastoril de Cícero?
Lembras-te ainda das pescarias de Cabo Frio?
(Elas te deram não sei que ar salino e veleiro,
Moreno.)

O espanto que nos deixaste!
Como fizeste crescer em nós o mistério augusto da morte!

Todavia,
Não te lamento não:
A vida,
Esta vida,
Carlos já disse,
Não presta.

Mas o vazio de quem
Eras marido e filho?
– Filho único, Moreno.

O RIO

Ser como o rio que deflui
Silencioso dentro da noite.
Não temer as trevas da noite.
Se há estrelas nos céus, refleti-las.
E se os céus se pejam de nuvens,
Como o rio as nuvens são água,
Refleti-las também sem mágoa
Nas profundidades tranquilas.

Petrópolis, 1948

NOVA POÉTICA

Vou lançar a teoria do poeta sórdido.
Poeta sórdido:
Aquele em cuja poesia há a marca suja da vida.
Vai um sujeito,
Sai um sujeito de casa com a roupa de brim branco muito bem
       [engomada, e na primeira esquina passa um caminhão,
        [salpica-lhe o paletó ou a calça de uma nódoa de lama:
É a vida.

O poema deve ser como a nódoa no brim:
Fazer o leitor satisfeito de si dar o desespero.

Sei que a poesia é também orvalho.
Mas este fica para as menininhas, as estrelas alfas, as virgens cem
       [por cento e as amadas que envelheceram sem maldade.

                            19 de maio de 1949

UNIDADE

Minh'alma estava naquele instante
Fora de mim longe muito longe

Chegaste
E desde logo foi verão
O verão com as suas palmas os seus mormaços os seus ventos
[de sôfrega mocidade
Debalde os teus afagos insinuavam quebranto e molície
O instinto de penetração já despertado
Era como uma seta de fogo

Foi então que minh'alma veio vindo
Veio vindo de muito longe
Veio vindo
Para de súbito entrar-me violenta e sacudir-me todo
No momento fugaz da unidade.

1948

ARTE DE AMAR

Se queres sentir a felicidade de amar, esquece a tua alma.
A alma é que estraga o amor.
Só em Deus ela pode encontrar satisfação.
Não noutra alma.
Só em Deus – ou fora do mundo.

As almas são incomunicáveis.

Deixa o teu corpo entender-se com outro corpo.

Porque os corpos se entendem, mas as almas não.

As três Marias

Atrás destas moitas,
Nos troncos, no chão,
Vi, traçado a sangue,
O signo-salmão!

Há larvas, há lêmures
Atrás destas moitas.
Mulas sem cabeça,
Visagens afoitas.

Atrás destas moitas
Veio a Moura-Torta
Comer as mãozinhas
Da menina morta!

Há bruxas luéticas
Atrás destas moitas,
Segredando à aragem
Amorosas coitas.

Atrás destas moitas
Vi um rio de fundas
Águas deletérias,
Paradas, imundas!

Atrás destas moitas...
– Que importa? Irei vê-las!
Regiões mais sombrias
Conheço. Sou poeta,

Dentro d'alma levo,

Levo três estrelas,

Levo as três Marias!

Petrópolis, 2 de janeiro de 1950

FLOR DE TODOS OS TEMPOS

Dantes a tua pele sem rugas,
A tua saúde
Escondiam o que era
Tu mesma.

Aquela que balbuciava
Quase inconscientemente:
"Podem entrar".

A que me apertava os dedos
Desesperadamente
Com medo de morrer.

A menina.
O anjo.
A flor de todos os tempos.
A que não morrerá nunca.

OPUS 10

BOI MORTO

Como em turvas águas de enchente,
Me sinto a meio submergido
Entre destroços do presente
Dividido, subdividido,
Onde rola, enorme, o boi morto,

Boi morto, boi morto, boi morto.

Árvores da paisagem calma,
Convosco – altas, tão marginais! –
Fica a alma, a atônita alma,
Atônita para jamais.
Que o corpo, esse vai com o boi morto,

Boi morto, boi morto, boi morto.

Boi morto, boi descomedido,
Boi espantosamente, boi
Morto, sem forma ou sentido
Ou significado. O que foi
Ninguém sabe. Agora é boi morto,

Boi morto, boi morto, boi morto.

COTOVIA

— Alô, cotovia!
Aonde voaste,
Por onde andaste,
Que tantas saudades me deixaste?

— Andei onde deu o vento.
Onde foi meu pensamento.
Em sítios, que nunca viste,
De um país que não existe...
Voltei, te trouxe a alegria.

— Muito contas, cotovia!
E que outras terras distantes
Visitaste? Dize ao triste.

— Líbia ardente, Cítia fria,
Europa, França, Bahia...

— E esqueceste Pernambuco,
Distraída?

— Voei ao Recife, no Cais
Pousei da Rua da Aurora.

— Aurora da minha vida,
Que os anos não trazem mais!

— Os anos não, nem os dias,
Que isso cabe às cotovias.

Meu bico é bem pequenino
Para o bem que é deste mundo:
Se enche com uma gota de água.
Mas sei torcer o destino,
Sei no espaço de um segundo
Limpar o pesar mais fundo.
Voei ao Recife, e dos longes
Das distâncias, aonde alcança
Só a asa da cotovia,
– Do mais remoto e perempto
Dos teus dias de criança
Te trouxe a extinta esperança,
Trouxe a perdida alegria.

Tema e variações

Sonhei ter sonhado
Que havia sonhado.

Em sonho lembrei-me
De um sonho passado:
O de ter sonhado
Que estava sonhando.

Sonhei ter sonhado...
Ter sonhado o quê?
Que havia sonhado
Estar com você.
Estar? Ter estado,
Que é tempo passado.

Um sonho presente
Um dia sonhei.
Chorei de repente,
Pois vi, despertado,
Que tinha sonhado.

ELEGIA DE VERÃO

O sol é grande. Ó coisas
Todas vãs, todas mudaves!
(Como esse "mudaves",
Que hoje é "mudáveis"
E já não rima com "aves".)

O sol é grande. Zinem as cigarras
Em Laranjeiras.
Zinem as cigarras: zino, zino, zino...
Como se fossem as mesmas
Que eu ouvi menino.

Ó verões de antigamente!
Quando o Largo do Boticário
Ainda poderia ser tombado.
Carambolas ácidas, quentes de mormaço;
Água morna das caixas-d'água vermelhas de ferrugem;
Saibro cintilante...

O sol é grande. Mas, ó cigarras que zinis,
Não sois as mesmas que eu ouvi menino.
Sois outras, não me interessais...

Deem-me as cigarras que eu ouvi menino.

NATAL SEM SINOS

No pátio a noite é sem silêncio.
E que é a noite sem o silêncio?
A noite é sem silêncio e no entanto onde os sinos
Do meu Natal sem sinos?

Ah meninos sinos
De quando eu menino!

Sinos da Boa Vista e de Santo Antônio.
Sinos do Poço, do Monteiro e da igrejinha de Boa Viagem.

Outros sinos
Sinos
Quantos sinos

No noturno pátio
Sem silêncio, ó sinos
De quando eu menino,
Bimbalhai meninos,
Pelos sinos (sinos
Que não ouço), os sinos de
Santa Luzia.

Rio, 1952

Retrato

O sorriso escasso,
O riso-sorriso,
A risada nunca.
(Como quem consigo
Traz o sentimento
Do madrasto mundo.)

Com os braços colados
Ao longo do corpo,
Vai pela cidade
Grande e cafajeste,
Com o mesmo ar esquivo
Que escolheu nascendo
Na esquiva Itabira.

Aprendeu com ela
Os olhos metálicos
Com que vê as coisas:
Sem ódio, sem ênfase,
Às vezes com náusea.

Ferro de Itabira,
Em cujos recessos
Um vedor, um dia,
Um vedor – o neto –
Descobriu infante
As fundas nascentes,
O veio, o remanso
Da escusa ternura.

Noturno do Morro do Encanto

Este fundo de hotel é um fim de mundo!
Aqui é o silêncio que tem voz. O encanto
Que deu nome a este morro, põe no fundo
De cada coisa o seu cativo canto.

Ouço o tempo, segundo por segundo,
Urdir a lenta eternidade. Enquanto
Fátima ao pó de estrelas sitibundo
Lança a misericórdia do seu manto.

Teu nome é uma lembrança tão antiga,
Que não tem som nem cor, e eu, miserando,
Não sei mais como o ouvir, nem como o diga.

Falta a morte chegar... Ela me espia
Neste instante talvez, mal suspeitando
Que já morri quando o que eu fui morria.

Petrópolis, 21-2-1953

Os nomes

Duas vezes se morre:
Primeiro na carne, depois no nome.
A carne desaparece, o nome persiste mas
Esvaziando-se de seu casto conteúdo
— Tantos gestos, palavras, silêncios —
Até que um dia sentimos,
Com uma pancada de espanto (ou de remorso?),
Que o nome querido já nos soa como os outros.

Santinha nunca foi para mim o diminutivo de Santa.
Nem Santa nunca foi para mim a mulher sem pecado.
Santinha eram dois olhos míopes, quatro incisivos claros à flor
[da boca.
Era a intuição rápida, o medo de tudo, um certo modo de dizer
["Meu Deus, valei-me".

Adelaide não foi para mim Adelaide somente,
Mas Cabeleira de Berenice, Inominata, Cassiopeia.
Adelaide hoje apenas substantivo próprio feminino.

Os epitáfios também se apagam, bem sei.
Mais lentamente, porém, do que as reminiscências
Na carne, menos inviolável do que a pedra dos túmulos.

Petrópolis, 28-2-1953

CONSOADA

Quando a Indesejada das gentes chegar
(Não sei se dura ou caroável),
Talvez eu tenha medo.
Talvez sorria, ou diga:
                    — Alô, iniludível!
O meu dia foi bom, pode a noite descer.
(A noite com os seus sortilégios.)
Encontrará lavrado o campo, a casa limpa,
A mesa posta,
Com cada coisa em seu lugar.

Lua nova

Meu novo quarto
Virado para o nascente:
Meu quarto, de novo a cavaleiro da entrada da barra.

Depois de dez anos de pátio
Volto a tomar conhecimento da aurora.
Volto a banhar meus olhos no mênstruo incruento das madrugadas.

Todas as manhãs o aeroporto em frente me dá lições de partir:

Hei de aprender com ele
A partir de uma vez
— Sem medo,
Sem remorso,
Sem saudade.

Não pensem que estou aguardando a lua cheia
— Esse sol da demência
Vaga e noctâmbula.
O que eu mais quero,
O de que preciso
É de lua nova.

Rio, agosto de 1953

Cântico dos Cânticos

— Quem me busca a esta hora tardia?
— Alguém que treme de desejo.
— Sou teu vale, zéfiro, e aguardo
Teu hálito... A noite é tão fria!
— Meu hálito não, meu bafejo,
Meu calor, meu túrgido dardo.

— Quando por mais assegurada
Contra os golpes de Amor me tinha,
Eis que irrompes por mim deiscente...
— Cântico! Púrpura! Alvorada!
— Eis que me entras profundamente
Como um deus em sua morada!
— Como a espada em sua bainha.

Oração para aviadores

Santa Clara, clareai
Estes ares.
Dai-nos ventos regulares,
De feição.
Estes mares, estes ares
Clareai.

Santa Clara, dai-nos sol.
Se baixar a cerração,
Alumiai
Meus olhos na cerração.
Estes montes e horizontes
Clareai.

Santa Clara, no mau tempo
Sustentai
Nossas asas.
A salvo de árvores, casas
E penedos, nossas asas
Governai.

Santa Clara, clareai.
Afastai
Todo risco.
Por amor de S. Francisco,
Vosso mestre, nosso pai,
Santa Clara, todo risco
Dissipai.

Santa Clara, clareai.

ESTRELA DA TARDE

ACALANTO
PARA AS MÃES QUE PERDERAM O SEU MENINO

Dorme, dorme, dorme...
Quem te alisa a testa
Não é Malatesta,
Nem Pantagruel
– O poeta enorme.
Quem te alisa a testa
É aquele que vive
Sempre adolescente
Nos oásis mais frescos
De tua lembrança.

Dorme, ele te nina.

Te nina, te conta
– Sabes como é –,
Te conta a experiência
Do vário passado,
Das várias idades.
Te oferece a aurora
Do primeiro riso.
Te oferece o esmalte
Do primeiro dente.

A dor passará,
Como antigamente
Quando ele chegava.

Dorme... Ele te nina
Como se hoje fosses
A sua menina.

SATÉLITE

Fim de tarde.
No céu plúmbeo
A Lua baça
Paira
Muito cosmograficamente
Satélite.

Desmetaforizada,
Desmitificada,
Despojada do velho segredo de melancolia,
Não é agora o golfão de cismas,
O astro dos loucos e dos enamorados.
Mas tão somente
Satélite.

Ah Lua deste fim de tarde,
Demissionária de atribuições românticas,
Sem show para as disponibilidades sentimentais!

Fatigado de mais-valia,
Gosto de ti assim:
Coisa em si,
— Satélite.

OVALLE

Estavas bem mudado.
Como se tivesses posto aquelas barbas brancas
Para entrar com maior decoro a Eternidade.

Nada de nós te interessava agora.
Calavas sereno e grave
Como no fundo foste sempre
Sob as fantasias verbais enormes
Que faziam rir os teus amigos e
Punham bondade no coração dos maus.

O padre orava:
– "O coro de todos os anjos te receba..."
Pensei comigo:
Cantando "Estrela brilhante
Lá do alto-mar!..."

Levamos-te cansado ao teu último endereço.
Vi com prazer
Que um dia afinal seremos vizinhos.
Conversaremos longamente
De sepultura a sepultura
No silêncio das madrugadas
Quando o orvalho pingar sem ruído
E o luar for uma coisa só.

A NINFA

Estranha volta ao lar naquele dia!
Tornava o filho pródigo à paterna
Casa, e não via em nada a antiga e terna
Jubilação da instante cotovia.

Antes, em tudo a igual monotonia,
Tanto mais flébil quanto mais eterna.
A ninfa estava ali. Que alvor de perna!
Mas, em compensação, como era fria!

Ao vê-la assim, calou-se no passado
A voz que nunca ouviu sem que direito
Lhe fosse ao coração. Logo a seu lado

Buliu na luz do lar, na luz do leito,
Como um brasão de timbre indecifrado,
O ruivo, raro isóscele perfeito.

AD INSTAR DELPHINI

Teus pés são voluptuosos: é por isso
Que andas com tanta graça, ó Cassiopeia!
De onde te vem tal chama e tal feitiço,
Que dás ideia ao corpo, e corpo à ideia?

Camões, valei-me! Adamastor, Magriço,
Dai-me força, e tu, Vênus Citereia,
Essa doçura, esse imortal derriço...
Quero também compor minha epopeia!

Não cantarei Helena e a antiga Troia,
Nem as Missões e a nacional Lindoia,
Nem Deus, nem Diacho! Quero, oh por quem és,

Flor ou mulher, chave do meu destino,
Quero cantar, como cantou Delfino,
As duas curvas de dois brancos pés!

Vita nuova

De onde me veio esse tremor de ninho
A alvorecer na morta madrugada?
Era todo o meu ser... Não era nada,
Senão na pele a sombra de um carinho.

Ah, bem velho carinho! Um desalinho
De dedos tontos no painel da escada...
Batia a minha cor multiplicada,
– Era o sangue de Deus mudado em vinho!

Bandeiras tatalavam no alto mastro
Do meu desejo. No fervor da espera
Clareou à distância o súbito alabastro.

E na memória, em nova primavera,
Revivesceu, candente como um astro,
A flor do sonho, o sonho da quimera.

Versos para Joaquim

Joaquim, a vontade do Senhor é às vezes difícil de aceitar.
Tanto Simeão desejoso de ouvir o celeste chamado!
Por que então chamar a que estava apenas a meio de sua tarefa?
A indispensável?
A insubstituível?
(Por isso sorri com lágrimas quando te vi, antes da missa, ajeitar o
                          [laço de fita nos cabelos de tua caçulinha.)
Ah, bem sei, Joaquim, que o teu coração é tão grande quanto o da
                                                    [mãe melhor.
Mas que tristeza! Ela foi demais, estou de mal com Deus.
– Joaquim, a vontade do Senhor é às vezes inaceitável.

Variações sérias em forma de soneto

Vejo mares tranquilos, que repousam,
Atrás dos olhos das meninas sérias.
Alto e longe elas olham, mas não ousam
Olhar a quem as olha, e ficam sérias.

Nos recantos dos lábios se lhes pousam
Uns anjos invisíveis. Mas tão sérias
São, alto e longe, que nem eles ousam
Dar um sorriso àquelas bocas sérias.

Em que pensais, meninas, se repousam
Os meus olhos nos vossos? Eles ousam
Entrar paragens tristes de tão sérias!

Mas poderei dizer-vos que eles ousam?
Ou vão, por injunções muito mais sérias,
Lustrar pecados que jamais repousam?

EMBALO

No balanço das águas,
Ao trépido pulsar
Da máquina, embalar
As persistentes mágoas
Das peremptas feridas...
Beber o céu nos ventos
Sabendo a sonolentos
Sais e iodados relentos.
Anseios de insofridas
Esperas e esperanças
Diluem-se na bruma
Como na vaga a espuma
– Flores de espumas mansas –
Que a um lado e outro abotoa
Da cortadora proa.
Azuis de águas e céus...
Sou nada, e entanto agora
Eis-me centro finito
Do círculo infinito
De mar e céus afora.
– Estou onde está Deus.

A LUA

A proa reta abre no oceano
Um tumulto de espumas pampas.
Delas nascer parece a esteira
Do luar sobre as águas mansas.

O mar jaz como um céu tombado.
Ora é o céu que é um mar, onde a lua,
A só, silente louca, emerge
Das ondas-nuvens, toda nua.

ELEGIA DE LONDRES

Ovalle, irmãozinho, diz, *du sein de Dieu où tu reposes,*

Ainda te lembras de Londres e suas luas?

Custa-me imaginar-te aqui

– Londres é *troppo* imensa –

Com teu impossível amor, tuas certezas e tuas ignorâncias.

Tu, Santo da Ladeira e pecador da Rua Conde de Laje,

Que de madrugada te perdias na Lapa e sentavas no meio-fio para chorar.

Os mapas enganaram-me.

Sentiste como Mayfair parece descorrelacionada do Tamisa?

Sentiste que para pedestre de Oxford Street é preciso ser gênio e andarilho

[como Rimbaud?

Ou então português

– Como o poeta Alberto de Lacerda?

Ovalle, irmãozinho, como te sentiste

Nesta Londres imensa e triste?

Tu que procuravas sempre o que há de Jesus em toda coisa,

Como olhaste para estas casas tão humanamente iguais, tão

[exasperantemente iguais?

Adoeceste alguma vez e ficaste atrás da vidraça lendo incessantemente

[o letreiro do outro lado da rua

– *Rawlplug House, Rawlplug Co. Ltd., Rawlings Bros.*

Por que bares andaste bebendo melancolia?

Alguma noite pediste perdão por todos nós às mulherezinhas de *Picadilly*

[*Circus*?

Foste ao *British Museum* e viste a virgem lápita raptada pelo centauro?

Comungaste na adoração do Menino Jesus de Piero della Francesca na

[*National Gallery*?

Tomaste conhecimento da existência de Dame Edith Sitwell e seu *"Trio*

[*for two cats and a trombone"*?

Ovalle, irmãozinho, tu que és hoje estrela brilhante lá do alto-mar,

Manda à minha angústia londrina um raio de tua quente eternidade.

Londres, 3.9.1957

Mal sem mudança

Da América infeliz porção mais doente,
Brasil, ao te deixar, entre a alvadia
Crepuscular espuma, eu não sabia
Dizer se ia contente ou descontente.

Já não me entendo mais. Meu subconsciente
Me serve angústia em vez de fantasia,
Medos em vez de imagens. E em sombria
Pena se faz passado o meu presente.

Ah, se me desse Deus a força antiga,
Quando eu sorria ao mal sem esperança
E mudava os soluços em cantiga!

Bem não é que a alma pede e não alcança.
Mal sem motivo é o que ora me castiga,
E ainda que dor menor, mal sem mudança.

25.7.1957

PEREGRINAÇÃO

Quando olhada de face, era um abril.
Quando olhada de lado, era um agosto.
Duas mulheres numa: tinha o rosto
Gordo de frente, magro de perfil.

Fazia as sobrancelhas como um til;
A boca, como um o (quase). Isto posto,
Não vou dizer o quanto a amei. Nem gosto
De me lembrar, que são tristezas mil.

Eis senão quando um dia... Mas, caluda!
Não me vai bem fazer uma canção
Desesperada, como fez Neruda.

Amor total e falho... Puro e impuro...
Amor de velho adolescente... E tão
Sabendo a cinza e a pêssego maduro...

ANTÔNIA

Amei Antônia de maneira insensata.
Antônia morava numa casa que para mim não era casa, era um
[empíreo.
Mas os anos foram passando.
Os anos são inexoráveis.
Antônia morreu.
A casa em que Antônia morava foi posta abaixo.
Eu mesmo já não sou aquele que amou Antônia e que Antônia
[não amou.

Aliás, previno, muito humildemente, que isto não é crônica nem
[poema.
É apenas
Uma nova versão, a mais recente, do tema *ubi sunt*,
Que dedico, ofereço e consagro
A meu dileto amigo Augusto Meyer.

SONHO BRANCO

Não pairas mais aqui. Sei que distante
Estás de mim, no grêmio de Maria
Desfrutando a inefável alegria
Da alta contemplação edificante.

Mas foi aqui que ao sol do eterno dia
Tua alma, entre assustada e confiante,
Viu descender à paz purificante
Teu corpo, ainda cansado da agonia.

Senti-te as asas de anjo em mesto arranco
Voejar aqui, retidas pelo aceno
Do irmão, saudoso de teu riso franco.

Quarenta anos lá vão. De teu moreno
Encanto hoje que resta? O eco pequeno,
Pequeno de teu sonho – um sonho branco!

Verde-negro

dever

    de ver

        tudo verde

        tudo negro

            verde-negro

                muito verde

                muito negro

ver de dia

        ver de noite

            verde noite

                negro dia

                verde-negro

verdes vós

        verem eles

        virem eles

virdes vós

        verem todos

            tudo negro

            tudo verde

                verde-negro

MASCARADA

Você me conhece?
(Frase dos mascarados de antigamente.)

— Você me conhece?
— Não conheço não.
— Ah, como fui bela!
Tive grandes olhos,
Que a paixão dos homens
(Estranha paixão!)
Fazia maiores...
Fazia infinitos.
Diz: não me conheces?
— Não conheço não.

— Se eu falava, um mundo
Irreal se abria
À tua visão!
Tu não me escutavas:
Perdido ficavas
Na noite sem fundo
Do que eu te dizia...
Era a minha fala
Canto e persuasão...
Pois não me conheces?
— Não conheço não.

— Choraste em meus braços...
— Não me lembro não.

– Por mim quantas vezes
O sono perdeste
E ciúmes atrozes
Te despedaçaram!

Por mim quantas vezes
Quase tu mataste,
Quase te mataste,
Quase te mataram!
Agora me fitas
E não me conheces?

– Não conheço não.
Conheço é que a vida
É sonho, ilusão.
Conheço é que a vida,
A vida é traição.

Preparação para a morte

A vida é um milagre.

Cada flor,

Com sua forma, sua cor, seu aroma,

Cada flor é um milagre.

Cada pássaro,

Com sua plumagem, seu voo, seu canto,

Cada pássaro é um milagre.

O espaço, infinito,

O espaço é um milagre.

O tempo, infinito,

O tempo é um milagre.

A memória é um milagre.

A consciência é um milagre.

Tudo é milagre.

Tudo, menos a morte.

— Bendita a morte, que é o fim de todos os milagres.

Canção para a minha morte

Bem que filho do Norte,
Não sou bravo nem forte.
Mas, como a vida amei
Quero te amar, ó morte,
– Minha morte, pesar
Que não te escolherei.

Do amor tive na vida
Quanto amor pode dar:
Amei, não sendo amado,
E sendo amado, amei.
Morte, em ti quero agora
Esquecer que na vida
Não fiz senão amar.

Sei que é grande maçada
Morrer, mas morrerei
– Quando fores servida –
Sem maiores saudades
Desta madrasta vida,
Que, todavia, amei.

FLABELA

flébil

lábil

Isabela

nota e núbil

A ONDA

A O N D A

a onda anda

aonde anda

a onda?

a onda ainda

ainda onda

ainda anda

aonde?

aonde?

a onda a onda

CARLOS DRUMMOND DE ANDRADE

Louvo o Padre, louvo o Filho,
O Espírito Santo louvo.
Isto feito, louvo aquele
Que ora chega aos sessent'anos
E no meio de seus pares
Prima pela qualidade:
O poeta lúcido e límpido
Que é Carlos Drummond de Andrade.

Prima em *Alguma Poesia*,
Prima no *Brejo das Almas*.
Prima na *Rosa do Povo*,
No *Sentimento do Mundo*.
(Lírico ou participante,
Sempre é poeta de verdade
Esse homem lépido e limpo
Que é Carlos Drummond de Andrade.)

Como é fazendeiro do ar,
O obscuro enigma dos astros
Intui, capta em claro enigma.
Claro, alto e raro. De resto
Ponteia em viola de bolso
Inteiramente à vontade
O poeta diverso e múltiplo
Que é Carlos Drummond de Andrade.

Louvo o Padre, o Filho, o Espírito
Santo, e após outra Trindade
Louvo: o homem, o poeta, o amigo
Que é Carlos Drummond de Andrade.

Balada para Isabel

Querem outros muito dinheiro;
Outros, muito amor; outros, mais
Precavidos, querem inteiro
Sossego, paz, dias iguais.
Mas eu, que sei que nesta vida
O que mais se mostra é ouropel,
Quero coisa muito escondida:
– O sorriso azul de Isabel.

Um mistério tão sorrateiro
Nunca o mundo não viu jamais.
Ah que sorriso! Verdadeiro
Céu na terra (o céu que sonhais...)
Por isso, em minha ingrata lida
De viver, é a sopa no mel
Se de súbito translucida
O sorriso azul de Isabel.

Quando rompe o sol, e fagueiro
O homem acorda, e em matinais
Hosanas louva o justiceiro
Deus de bondade – o que pensais
Que é a coisa mais apetecida
Do mau bardo de alma revel,
Envelhecida, envilecida?
– O sorriso azul de Isabel.

OFERTA

Não quero o sorriso de Armida:
O sorriso de Armida é fel

Junto ao desta Isabel querida.

– Quero é o teu sorriso, Isabel.

PRIMEIRA CANÇÃO DO BECO

Teu corpo dúbio, irresoluto
De intersexual disputadíssima,
Teu corpo, magro não, enxuto,
Lavado, esfregado, batido,
Destilado, asséptico, insípido
E perfeitamente inodoro
É o flagelo de minha vida,
Ó esquizoide! ó leptossômica!

Por ele sofro há bem dez anos
(Anos que mais parecem séculos)
Tamanhas atribulações,
Que às vezes viro lobisomem,
E estraçalhado de desejos
Divago como os cães danados
A horas mortas, por becos sórdidos!

Põe paradeiro a este tormento!
Liberta-me do atroz recalque!
Vem ao meu quarto desolado
Por estas sombras de convento,
E propicia aos meus sentidos
Atônitos, horrorizados
A folha-morta, o parafuso,
O trauma, o estupor, o decúbito!

IRMÃ

Irmã – que outra expressão, por mais que a tente
Achar, poderei dar-te? –, em teu ouvido
Quero a queixa vazar confiantemente
Desta vida sem cor e sem sentido.

Amei outras mulheres, mas a urgente
Compreensão, sem a qual, por mais subido,
Falece o amor, esteve sempre ausente.
Em nenhuma encontrei o bem querido.

Em ti tudo é perfeito e incomparável.
E tudo o que de injusto e duro e amargo
Sofri, vieste delir com o teu carinho:

Com esse frescor de fruta desejável;
Com esse gris de teus olhos, que do largo
Me traz o ar sem mistura, o sal marinho.

Nu

Quando estás vestida,
Ninguém imagina
Os mundos que escondes
Sob as tuas roupas.

(Assim, quando é dia,
Não temos noção
Dos astros que luzem
No profundo céu.

Mas a noite é nua,
E, nua na noite,
Palpitam teus mundos
E os mundos da noite.

Brilham teus joelhos.
Brilha o teu umbigo.
Brilha toda a tua
Lira abdominal.

Teus seios exíguos
— Como na rijeza
Do tronco robusto
Dois frutos pequenos —

Brilham.) Ah, teus seios!
Teus duros mamilos!
Teu dorso! Teus flancos!
Ah, tuas espáduas!

Se nua, teus olhos
Ficam nus também:
Teu olhar, mais longo,
Mais lento, mais líquido.

Então, dentro deles,
Boio, nado, salto,
Baixo num mergulho
Perpendicular.

Baixo até o mais fundo
De teu ser, lá onde
Me sorri tu'alma,
Nua, nua, nua...

Elegia para Rui Ribeiro Couto

Meu caro Rui Ribeiro Couto, a mocidade
Promete mais que dá. Sonhamos se dormimos,
E sonhamos quando acordados. Altos cimos
Da aspiração, que em torno vê só a imensidade!
Assim, amigo, foi você; assim eu fui.
Mas terminada a mocidade, o sonho *rui?*

Não, não rui. Pois o sonho, amigo, não é cousa
Feita de pedra e cal: o sonho é cousa fluida.
Enquanto dura a mocidade, que não cuida
Senão de se gastar, nem para, nem repousa,
Vai de despenhadeiro a outro despenhadeiro.
Mas com o tempo serena e flui como um *ribeiro.*

Um dia as ilusões de Vitorino Glória
Se terão dissipado. Em cada nervo e músculo
Sentirá ele, na doçura do crepúsculo,
O que houve de melhor na sua louca história.
Apaziguado há de sorrir ao sonho roto,
E encontrará, dentro em si mesmo, o pouso, o *couto.*

O FAUNO

Na calada
Da alta noite,
Quando a sombra é como a augusta
Antecipação da morte,
Grita o fauno:

— "Bem que velho,
Te reclamo.
Bem que velho,
Te desejo,
Quero e chamo,
O novelletum quod ludis
In solitudine cordis!
Ó desejada que ainda
Não sabes que és desejada!
Deixa os brancos véus do pejo
E no inóspito jardim
Das oliveiras te cobre
Do cilício da paixão!
Respira as auras ardentes,
Cospe fogo,
Vira vento e furacão,
Sopra rijo sobre mim,
Me delabra, me ensorcela,
Ninfa bela!
Não jamais
Ninfomaníaca: és triste,
És calada,
És elegíaca.

Por isso mesmo é que te amo,
Te desejo,
Quero
E chamo,
Ninfa! Aonde estás? Aonde?..."

Grita o fauno, mas só o eco
De sua voz lhe responde
Na calada
Da alta noite,
Quando a sombra é como a augusta
Antecipação da morte.

POEMA DO MAIS TRISTE MAIO

Meus amigos, meus inimigos,
Saibam todos que o velho bardo
Está agora, entre mil perigos,
Comendo, em vez de rosas, cardo.

Acabou-se a idade das rosas!
Das rosas, dos lírios, dos nardos
E outras espécies olorosas:
É chegado o tempo dos cardos.

E passada a sazão das rosas,
Tudo é vil, tudo é sáfio, árduo.
Nas longas horas dolorosas
Pungem fundo as puas do cardo.

As saudades não me consolam.
Antes ferem-me como dardos.
As companhias me desolam,
E os versos que me vêm, vêm tardos.

Meus amigos, meus inimigos,
Saibam todos que o velho bardo
Está agora, entre mil perigos,
Comendo, em vez de rosas, cardo.

Minha grande ternura

Minha grande ternura
Pelos passarinhos mortos,
Pelas pequeninas aranhas.

Minha grande ternura
Pelas mulheres que foram meninas bonitas
E ficaram mulheres feias;
Pelas mulheres que foram desejáveis
E deixaram de o ser;
Pelas mulheres que me amaram
E que eu não pude amar.

Minha grande ternura
Pelos poemas que
Não consegui realizar.

Minha grande ternura
Pelas amadas que
Envelheceram sem maldade.

Minha grande ternura
Pelas gotas de orvalho que
São o único enfeite
De um túmulo.

POEMAS TRADUZIDOS

Noturno

José Asunción Silva

Uma noite,
Uma noite toda cheia de murmúrios, de perfumes e da música das asas;
Uma noite,
Em que ardiam na nupcial e úmida sombra das campinas as lucíolas
[fantásticas,
A meu lado lentamente, contra mim cingida toda, muda e pálida,
Como se um pressentimento de amarguras infinitas,
Até o fundo mais recôndito das fibras te agitasse,
Pela senda que se perde no horizonte da planície
Caminhavas;
E nos céus
Azulados e profundos esparzia a lua cheia sua claridade branca.
Tua sombra,
Fina e lânguida,
E a minha,
Projetadas pelos raios do luar na areia triste
Do caminho se juntavam
E eram uma,
E eram uma,
E eram uma sombra única,
Uma longa sombra única,
Uma longa sombra única...

Esta noite
Eu só, a alma

Cheia assim das infinitas amarguras e aflições de tua morte,

Separado de ti mesma pelo tempo, pelo túmulo e a distância,

Pela escuridão sem termo

Aonde a nossa voz não chega,

Silencioso

Pela senda caminhava...

E escutavam-se os ladridos dos cachorros para a lua,

Lua pálida,

E a coaxada

Dos batráquios...

Senti frio. O mesmo frio que coaram no meu corpo

Tuas faces e teus seios e teus dedos adorados

Entre as cândidas brancuras

Das cobertas mortuárias.

Era o frio do sepulcro, sopro gélido da morte,

Era o frio atroz do nada.

Minha sombra,

Projetada pelos raios do luar na areia triste,

Solitária,

Solitária,

Pela estepe desolada caminhava.

Foi então que a tua sombra

Ágil e esbelta,

Fina e lânguida,

Como nessa extinta noite da passada primavera,

Noite cheia de murmúrios, de perfumes e da música das asas,

Acercou-se e foi com ela,

Acercou-se e foi com ela,

Acercou-se e foi com ela... Oh, as sombras enlaçadas!

Oh, as sombras de dois corpos que se juntam às das almas!

Oh, as sombras que se buscam pelas noites de tristezas e de lágrimas!

Dor

Enrique González Martínez

O seu olhar varou-me a alma abismada,
Fundiu-se em mim, tão minha parecia,
Que não sei se este alento de agonia
É vida ainda ou morte alucinada.

Chegou o Arcanjo, desferiu a espada
Sobre o duplo laurel que florescia
No horto concluso... E desde aquele dia
Voltei, dentro das trevas, ao meu nada.

Julguei que o mundo, para o humano assombro,
Ia rolar de súbito no escombro
Da ruína total do firmamento...

Mas vi a terra em paz, em paz a altura,
O campo tão sereno, a linfa pura,
O monte azul e sossegado o vento!...

ORAÇÃO

São Francisco de Assis

Oh Senhor, faze de mim um instrumento da tua paz:
Onde há ódio, faze que eu leve Amor;
Onde há ofensa, que eu leve o Perdão;
Onde há discórdia, que eu leve União;
Onde há dúvida, que eu leve a Fé;
Onde há erro, que eu leve a Verdade;
Onde há desespero, que eu leve a Esperança;
Onde há tristeza, que eu leve a Alegria;
Onde há trevas, que eu leve a Luz.

Oh Mestre, faze que eu procure menos
Ser consolado do que consolar;
Ser compreendido do que compreender;
Ser amado do que amar.

Porquanto
É dando que se recebe;
É perdoando que se é perdoado;
É morrendo que se ressuscita para a Vida Eterna.

TORSO ARCAICO DE APOLO

Rainer Maria Rilke

Não sabemos como era a cabeça, que falta,
De pupilas amadurecidas, porém
O torso arde ainda como um candelabro e tem,
Só que meio apagada, a luz do olhar, que salta

E brilha. Se não fosse assim, a curva rara
Do peito não deslumbraria, nem achar
Caminho poderia um sorriso e baixar
Da anca suave ao centro onde o sexo se alteara.

Não fosse assim, seria essa estátua uma mera
Pedra, um desfigurado mármore, e nem já
Resplandecera mais como pele de fera.

Seus limites não transporia desmedida
Como uma estrela; pois ali ponto não há
Que não te mire. Força é mudares de vida.

CALEFRIO AQUERÔNTICO

Liliencron

Já bica o estorninho a sorva vermelha –
Jubilam violinos nas danças de agosto –
Não tarda que o Outono empunhe a tesoura
E corte uma a uma as folhas dos ramos.
Então se fará no bosque um vazio,
Um rio entre os troncos desnudos virá,
Trazendo à ribeira onde estou o barco
Que me há de levar ao frio silêncio.

O FATAL

Rubén Darío

Ditoso o vegetal, que é apenas sensitivo,
Ou a pedra dura, esta ainda mais, porque não sente,
Pois não há dor maior do que a dor de ser vivo,
Nem mais fundo pesar que o da vida consciente.
Ser, e não saber nada, e ser sem rumo certo,
E o medo de ter sido, e um futuro terror...
E a inquietação de imaginar a morte perto,
E sofrer pela vida e a sombra, no temor
Do que ignoramos e que apenas suspeitamos,
E a carne a seduzir com seus frescos racimos,
E o túmulo a esperar com seus fúnebres ramos...
E não saber para onde vamos,
Nem saber donde vimos...

EM SEU LUGAR

Paul Éluard

Raio de sol entre dois límpidos diamantes
E a lua a se fundir nos trigais obstinados

Uma imóvel mulher tomou lugar na terra
No calor ela se ilumina lentamente
Profundamente como um broto e como um fruto

Nele a noite floresce o dia amadurece.

ACALANTO PARA DEUS MENINO

Sóror Juana Inés de la Cruz

Pois meu Deus nasceu para penar,
Deixem-no velar.
Pois está desvelado por mim,
Deixem-no dormir.
Deixem-no velar:
Não há pena em quem ama,
Como não penar.
Deixem-no dormir:
Sono é ensaio da morte
Que um dia há de vir.
Silêncio, que dorme.
Cuidado, que vela.
Não o despertem, não.
Sim, despertem-no, sim.
Deixem-no velar.
Deixem-no dormir.

QUATRO HAICAIS DE BASHÔ

Quatro horas soaram.
Levantei-me nove vezes
Para ver a lua.

Fecho a minha porta.
Silencioso vou deitar-me.
Prazer de estar só...

A cigarra... Ouvi:
Nada revela em seu canto
Que ela vai morrer.

Quimonos secando
Ao sol. Oh aquela manguinha
Da criança morta!

METADE DA VIDA

Hoelderlin

Peras amarelas
E rosas silvestres
Da paisagem sobre a
Lagoa.

Ó cisnes graciosos,
Bêbedos de beijos,
Enfiando a cabeça
Na água santa e sóbria!

Ai de mim, aonde, se
É inverno agora, achar as
Flores? e aonde
O calor do sol
E a sombra da terra?
Os muros avultam
Mudos e frios; à fria nortada
Rangem os cata-ventos.

QUATRO SONETOS DE ELIZABETH BARRETT BROWNING

I

Amo-te quanto em largo, alto e profundo
Minh'alma alcança quando, transportada,
Sente, alongando os olhos deste mundo,
Os fins do Ser, a Graça entressonhada.

Amo-te em cada dia, hora e segundo:
À luz do sol, na noite sossegada.
E é tão pura a paixão de que me inundo
Quanto o pudor dos que não pedem nada.

Amo-te com o doer das velhas penas;
Com sorrisos, com lágrimas de prece,
E a fé da minha infância, ingênua e forte.

Amo-te até nas coisas mais pequenas.
Por toda a vida. E, assim Deus o quisesse,
Ainda mais te amarei depois da morte.

II

As minhas cartas! Todas elas frio,
Mudo e morto papel! No entanto agora
Lendo-as, entre as mãos trêmulas o fio
Da vida eis que retomo hora por hora.

Nesta queria ver-me – era no estio –
Como amiga a seu lado... Nesta implora
Vir e as mãos me tomar... Tão simples! Li-o
E chorei. Nesta diz quanto me adora.

Nesta confiou: sou teu, e empalidece
A tinta no papel, tanto o apertara
Ao meu peito, que todo inda estremece!

Mas uma... Ó meu amor, o que me disse
Não digo. Que bem mal me aproveitara,
Se o que então me disseste eu repetisse...

III

Parte: não te separas! Que jamais
Sairei de tua sombra. Por distante
Que te vás, em meu peito, a cada instante,
Juntos dois corações batem iguais.

Não ficarei mais só. Nem nunca mais
Dona de mim, a mão, quando a levante,
Deixará de sentir o toque amante
Da tua, – ao que fugi. Parte: não sais!

Como o vinho, que às uvas donde flui
Deve saber, é quanto faço e quanto
Sonho, que assim também todo te inclui

A ti, amor! minha outra vida, pois
Quando oro a Deus, teu nome ele ouve e o pranto
Em meus olhos são lágrimas de dois.

IV

Ama-me por amor do amor somente.
Não digas: "Amo-a pelo seu olhar,
O seu sorriso, o modo de falar
Honesto e brando. Amo-a porque se sente

Minh'alma em comunhão constantemente
Com a sua." Porque pode mudar
Isso tudo, em si mesmo, ao perpassar
Do tempo, ou para ti unicamente.

Nem me ames pelo pranto que a bondade
De tuas mãos enxuga, pois se em mim
Secar, por teu conforto, esta vontade

De chorar, teu amor pode ter fim!
Ama-me por amor do amor, e assim
Me hás de querer por toda a eternidade.

Canção

Christina Rossetti

Em minha sepultura,
Ó meu amor, não plantes
Nem cipreste nem rosas;
Nem tristemente cantes.
Sê como a erva dos túmulos
Que o orvalho umedece.
E se quiseres, lembra-te;
Se quiseres, esquece.

Eu, não verei as sombras
Quando a tarde baixar;
Não ouvirei de noite
O rouxinol cantar.
Sonhando em meu crepúsculo,
Sem sentir, sem sofrer,
Talvez possa lembrar-me,
Talvez possa esquecer.

Tríade

Adelaide Crapsey

São três
Coisas silenciosas:
A neve que cai... a hora
Antes da alva... a boca de alguém
Que acabou de morrer.

SONETO

Verlaine

No ermo da mata o som da trompa ecoa,
Vem expirar embaixo da colina.
E uma dor de orfandade se imagina
Na brisa, que em ladridos erra à toa.

A alma do lobo nessa voz ressoa...
Enche os vales e o céu, baixa à campina,
Numa agonia que à ternura inclina
E que tanto seduz quanto magoa.

Para tornar mais suave esse lamento,
Através do crepúsculo sangrento,
Como linho desfeito a neve cai.

Tão brando é o ar da tarde, que parece
Um suspiro do outono. E a noite desce
Sobre a paisagem lenta que se esvai.

BRANCO

Juan Ramón Jiménez

Branco, primeiro. De um branco
De inocência, cego, branco,
Branco de ignorância, branco.

Pronto verdeja o veneno.
Abre janelas o corpo.
O branco torna-se negro.

Guerra de noites e dias!
O vento assassina a brisa,
A brisa ao vento...
                                    Na brisa
Vem reconquistado o branco.
Branco verdadeiro, branco
Já de eternidade, branco.

EPITÁFIO

Rainer Maria Rilke

Rosa, ó pura contradição, volúpia
De ser o sono de ninguém sob tantas
Pálpebras.

UM POEMA DE CHAGALL

Só é meu

O país que trago dentro da alma.

Entro nele sem passaporte

Como em minha casa.

Ele vê a minha tristeza

E a minha solidão.

Me acalanta.

Me cobre com uma pedra perfumada.

Dentro de mim florescem jardins.

Minhas flores são inventadas.

As ruas me pertencem

Mas não há casas nas ruas.

As casas foram destruídas desde a minha infância.

Os seus habitantes vagueiam no espaço

À procura de um lar.

Instalam-se em minha alma.

Eis por que sorrio

Quando mal brilha o meu sol.

Ou choro

Como uma chuva leve

Na noite.

Houve tempo em que eu tinha duas cabeças.

Houve tempo em que essas duas caras

Se cobriam de um orvalho amoroso.

Se fundiam como o perfume de uma rosa.

Hoje em dia me parece

Que até quando recuo

Estou avançando

Para uma alta portada

Atrás da qual se estendem muralhas
Onde dormem trovões extintos
E relâmpagos partidos.
Só é meu
O mundo que trago dentro da alma.

Mafuá do malungo

TEMÍSTOCLES DA GRAÇA ARANHA

A aranha morde. A graça arranha
E vale o gládio nu de Têmis.
Logo se vê que tu não temes,
Temístocles da Graça Aranha.

ANA MARGARIDA MARIA

Ana – Sant'Ana – principia.
Maria acaba. Entre elas brilha
Uma flor branca. E eis, maravilha
De pureza, graça, alegria,
Ana Margarida Maria.

VERLAINE

Não te posso dar flor nem fruto. Folha ou galho,
Sim. Folha e não será de álamo ou tília fina.
Folha do mato, mas cheirosa de resina,
Levando à tua glória uma gota de orvalho.

ELISA

Dizem os lábios
O que está dentro
Do coração?

— Na face lisa
Dir-te-ão meus lábios
A mesma coisa
Que trago dentro
Do coração,
Elisa.

SÍLVIA AMÉLIA

Tudo quanto é puro e cheira:
— Manacá, jasmim, camélia,
Lírio, flor de laranjeira,
Rosa branca, Sílvia Amélia!

DUAS MARIAS

Duas Marias: Cristina
E sua gêmea Isabel.
A ambas saúda e se assina
Servo e admirador Manuel.

Pincel que pintar Cristina
Tem que pintar Isabel.
Se o pintor for o Candinho,
Então é a sopa no mel.

Dorme sem susto, Cristina,
Dorme sem medo, Isabel:
Nossa Senhora vos nina,
Ao pé está o Anjo Gabriel.

FRANCISCA

Francisca, me dá
Tudo aquilo que
Não gostas em ti.
E eu farei com isso
Um prazer tão grande
– Mais lindo que as nuvens
Da alvorada clara!
Mais doce que a brisa
Da alvorada fresca!
Francisca, Francisca!

ROSA FRANCISCA ADELAIDE

Francisca, Francisca,
Ai Rosa Francisca,
Francisca Adelaide!

Não queres ser Rosa,
Pois então, Francisca,
Me dá essa rosa:
A rosa mais limpa,
Mais escondidinha
– Rosa bonitinha –,
A única rosa
Em que para sempre,
A todo o momento,
De dia ou de noite,
Feliz, infeliz,
Ai Rosa Francisca,
Tenho o pensamento.

Ai Rosa Francisca!
Ai Rosa
Francisca
Adelaide!

MURILO MENDES

Mais te amo, ó poesia, quando
A realidade transcendes
Em pânico, desvairando
Na voz de um Murilo Mendes.

Teu nome

Teu nome, voz das sereias,
Teu nome, o meu pensamento,
Escrevi-o nas areias,
Na água, – escrevi-o no vento.

Eunice Veiga

Eunice meiga,
Eunice linda...
Que mais ainda?
– Eunice Veiga!

Mag

Só mesmo um santo
(Que eu nada valho)
Pode pintar
O jeito, o encanto,
Esse carinho
Posto no rosto
(Por Deus foi posto),
Posto no olhar,
No olhar gordinho
De Mag Bicalho.

RAQUEL

Raquel, angélica flor
Do ramalhete de Clóvis.
(Amor, que os astros moves,
Dá-lhe o melhor amor.)

HELENA MARIA

Helena Maria:
O preto no branco,
No branco a poesia,
No preto esse arranco
Da alma forte e pura
Em sua ternura.

A Guimarães Rosa

Não permita Deus que eu morra
Sem que ainda vote em você;
Sem que, Rosa amigo, toda
Quinta-feira que Deus dê,
Tome chá na Academia
Ao lado de vosmecê,
Rosa dos seus e dos outros,
Rosa da gente e do mundo,
Rosa de intensa poesia
De fino olor sem segundo;
Rosa do Rio e da Rua,
Rosa do sertão profundo!

EDMÉE

Que delícia na mata o fio d'água
Da fresca fonte para a sede grande!
(Assim a tua voz, límpida água
Para outra sede, Edmée Brandi.)

ALLINGES

És grande e bela, como as deusas e as esfinges
E as montanhas e o mar... És noite e aurora, Allinges!

Oitava camoniana para Fernanda

De Ely e Lorita, brandos, nasce a branda
(Vede da natureza o ideal concerto!),
Bonita e sem pecado algum Fernanda,
Que alegria dos pais será decerto.
E faça quem sobre o Universo manda
O mundo para ela um céu aberto,
Onde continuamente, como um dia
De claro sol, a vida lhe sorria.

MARISA

Muitas vezes a beira-mar
Sopra um fresco alento de brisa
Que vem do largo a suspirar...
Assim é o teu nome, Marisa,
Que principia igual ao mar
E acaba mais suave que a brisa.

SAUDAÇÃO A VINICIUS DE MORAES

Marcus Vinicius
Cruz de Moraes,
Eu não sabia
Que no teu nome
Tu carregavas
A tua cruz
De fogo e lavas.
Cruz da poesia?
Cruz do renome?
Marcus Vinicius,
Que em tuas puras,
Tuas selvagens,
Raras imagens
Da mais pungente
Melancolia,
Ficaste ardente
Para jamais.
Quais são teus vícios,
Vinicius, quais,
Para os purgares
Nas consulares
Assinaturas?
Marcus Vinicius,
Eu já te tinha
(E te ofereço
Esta tetinha)
Como um dos marcos
De maior preço
Do bom lirismo

Da pátria minha.
Mas não sabia
Que fosses Marcus
Pelo batismo.
Hoje que o sei,
Te gritarei
Num poema bom,
Bom, não! no mais
Pantafaçudo
Que já compus:
— Marcus Vinicius
Cruz de Moraes
(Mello também)

De cruz a cruz
Eu te saúdo!

AUTORRETRATO

Provinciano que nunca soube
Escolher bem uma gravata;
Pernambucano a quem repugna
A faca do pernambucano;
Poeta ruim que na arte da prosa
Envelheceu na infância da arte,
E até mesmo escrevendo crônicas
Ficou cronista de província;
Arquiteto falhado, músico
Falhado (engoliu um dia
Um piano, mas o teclado
Ficou de fora); sem família,
Religião ou filosofia;
Mal tendo a inquietação de espírito
Que vem do sobrenatural,
E em matéria de profissão
Um tísico profissional.

"Casa-Grande & Senzala"

Casa-Grande & Senzala,
Grande livro que fala
Desta nossa leseira
 Brasileira.

Mas com aquele forte
Cheiro e sabor do Norte
— Dos engenhos de cana
 (Massangana!)

Com fuxicos danados
E chamegos safados
De mulecas fulôs
 Com sinhôs.

A mania ariana
Do Oliveira Viana
Leva aqui a sua lambada
 Bem puxada.

Se nos brasis abunda
Jenipapo na bunda,
Se somos todos uns
 Octoruns,

Que importa? É lá desgraça?
Essa história de raça,
Raças más, raças boas
 — Diz o Boas —

É coisa que passou
Com o franciú Gobineau.
Pois o mal do mestiço
   Não está nisso.

Está em causas sociais,
De higiene e outras que tais:
Assim pensa, assim fala
   Casa-Grande & Senzala.

Livro que à ciência alia
A profunda poesia
Que o passado revoca
   E nos toca

A alma de brasileiro,
Que o portuga femeeiro
Fez e o mau fado quis
   Infeliz!

CARTA-POEMA

Excelentíssimo Prefeito
Senhor Hildebrando de Góis,
Permiti que, rendido o preito
A que fazeis jus por quem sois,

Um poeta já sexagenário,
Que não tem outra aspiração
Senão viver de seu salário
Na sua limpa solidão,

Peça vistoria e visita
A este pátio para onde dá
O apartamento que ele habita
No Castelo há dois anos já.

É um pátio, mas é via pública,
E estando ainda por calçar,
Faz a vergonha da República
Junto à Avenida Beira-Mar!

Indiferentes ao capricho
Das posturas municipais,
A ele jogam todo o seu lixo
Os moradores sem quintais.

Que imundície! Tripas de peixe,
Cascas de fruta e ovo, papéis...
Não é natural que me queixe?
Meu Prefeito, vinde e vereis!

Quando chove, o chão vira lama:
São atoleiros, lodaçais,
Que disputam a palma à fama
Das velhas maremas letais!

A um distinto amigo europeu
Disse eu: – Não é no Paraguai
Que fica o Grande Chaco, este é o
Grande Chaco! Senão, olhai!

Excelentíssimo Prefeito
Hildebrando Araújo de Góis,
A quem humilde rendo preito,
Por serdes vós, senhor, quem sois!

Mandai calçar a via pública
Que, sendo um vasto lagamar,
Faz a vergonha da República
Junto à Avenida Beira-Mar!

TROVA

Atirei um limão-doce
Na janela de meu bem:
Quando as mulheres não amam,
Que sono as mulheres têm!

A Afonso

Recebi o seu telegrama,
Afonso. Obrigado, obrigado:
Sempre é bom ganhar um agrado
Dos amigos a quem mais se ama.

Gastão gentil como uma dama,
Esse merece ser chamado
Pinheiro, como você o chama.
E Otávio, nunca assaz louvado.

Não me sinto pinheiro, Afonso,
Eu velho bardo, entre mil vários,
À espera da hora do responso.

Sou apenas um setentão
Adido à estranha legação
Dos pinheiros septuagenários.

A ESPADA DE OURO

Excelentíssimo General
Henrique Duffles Teixeira Lott,
A espada de ouro que, por escote,
Os seus cupinchas lhe vão brindar,
Não vale nada (não leve a mal
Que assim lhe fale) se comparada
Com a velha espada
De aço forjada,
Como as demais.
— Espadas estas
Que a Pátria pobre, de mãos honestas,
Dá aos seus soldados e generais.
Seu aço limpo vem das raízes
Batalhadoras da nossa história:
Aço que fala dos que, felizes,
Tombaram puros no chão da glória!
O ouro da outra é ouro tirado,
Ouro raspado
Pelas mãos sujas da pelegada
Do bolso gordo dos argentários,
Do bolso raso dos operários,
Não vale nada!
É ouro sinistro,
Ouro mareado:
Mancha o Ministro,
Mancha o Soldado.

ELEGIA DE AGOSTO

Não os decepcionarei.
Jânio Quadros, São Paulo, 6.X.60

A nação elegeu-o seu Presidente

Certa de que ele jamais a decepcionaria.

De fato,

Durante sete meses,

O eleito governou com honestidade,

Com desvelo,

Com bravura.

Mas um dia,

De repente,

Lhe deu a louca

E ele renunciou.

Renunciou sem ouvir ninguém.

Renunciou sacrificando o seu país e os seus amigos.

Renunciou carismaticamente, falando nos pobres e humildes

[que é tão difícil ajudar.

Explicou: "Não nasci presidente.

Nasci com a minha consciência."

Agora vai viajar.

Vai viajar longamente no exterior.

Está em paz com a sua consciência.

Ouviram bem?

ESTÁ EM PAZ COM A SUA CONSCIÊNCIA

E que se danem os pobres e humildes que é tão difícil ajudar.

O OBELISCO

Um obelisco monolítico é a verdade nua em praça pública.

A nudez dos obeliscos é mais inteira, mais estreme, mais escorreita,

[mais franca, mais sincera, mais lisa, mais pura,

[mais ingênua do que a da mulher mais bem-feita.

Ingênua como a de Susana surpreendida pelos juízes.

Pura como a de Santa Maria Egipcíaca despindo-se para o barqueiro.

Todo obelisco é uma lição de verticalidade física e moral, de retidão, de

[ascetismo.

Homem que não suportas a solidão (grande fraqueza!)

Aprende com os obeliscos a ser só.

Os egípcios erguiam obeliscos à entrada de seus templos, de seus

[túmulos, e neles gravavam apenas,

Discretamente,

O nome do rei construtor ou do deus reverenciado.

O obelisco aponta aos mortais as coisas mais altas: o céu, a lua, o sol,

[as estrelas – Deus.

O obelisco da Avenida Rio Branco não veio do Egito como o que está

[na Praça da Concórdia em Paris;

Nem por isso merece menos respeito.

Obelisco não é mourão para amarrar cavalos.

Não é manequim para camisolas de anúncio.

Não é andaime para farandulagens de carnaval.

(Já o fantasiaram de baiana, oh afronta!

Já lhe quebraram o ápice de agulha,

Já o chamuscaram de alto a baixo.)

Que o obelisco esteja sempre nu e limpo, apontando as coisas mais

[altas – o céu, a lua, o sol e as estrelas.

CRONOLOGIA

1886

A 19 de abril, nasce Manuel Carneiro de Souza Bandeira Filho, em Recife. Seus pais, Manuel Carneiro de Souza Bandeira e Francelina Ribeiro de Souza Bandeira.

1890

A família se transfere para o Rio de Janeiro, depois para Santos, São Paulo e novamente para o Rio de Janeiro.

1892

Volta para Recife.

1896-1902

Novamente no Rio de Janeiro, cursa o externato do Ginásio Nacional, atual Colégio Pedro II.

1903-1908

Transfere-se para São Paulo, onde cursa a Escola Politécnica. Por influência do pai, começa a estudar arquitetura. Em 1904, doente (tuberculose), volta ao Rio de Janeiro para se tratar. Em seguida, ainda em tratamento, reside em Campanha, Teresópolis, Maranguape, Uruquê e Quixeramobim.

1913

Segue para a Europa, para tratar-se no sanatório de Clavadel, Suíça. Tenta publicar um primeiro livro, *Poemetos melancólicos*, de poemas em parte extraviados no sanatório quando o poeta retorna ao Brasil.

1916

Morre a mãe do poeta.

1917

Publica o primeiro livro, *A cinza das horas*.

1918

Morre a irmã do poeta, sua enfermeira desde 1904.

1919

Publica *Carnaval*.

1920

Morre o pai do poeta.

1922

Em São Paulo, Ronald de Carvalho lê o poema "Os sapos", de *Carnaval*, na Semana de Arte Moderna. Morre o irmão do poeta.

1924

Publica *Poesias*, que reúne *A cinza das horas*, *Carnaval* e *O ritmo dissoluto*.
Exerce a crítica musical nas revistas *A Ideia Ilustrada* e *Ariel*.

1925

Começa a escrever para o "Mês Modernista", página dos modernistas em *A Noite*.

1926

Como jornalista, viaja por Salvador, Recife, João Pessoa, Fortaleza, São Luís e Belém.

1928-1929

Viaja a Minas Gerais e São Paulo. Como fiscal de bancas examinadoras, viaja para Recife. Começa a escrever crônicas para o *Diário Nacional*, de São Paulo, e *A Província*, do Recife.

1930

Publica *Libertinagem*.

1935

Nomeado pelo ministro Gustavo Capanema inspetor de ensino secundário.

1936

Publica *Estrela da manhã*, em edição fora de comércio.
Os amigos publicam *Homenagem a Manuel Bandeira*, com poemas, estudos críticos e comentários sobre sua vida e obra.

1937

Publica *Crônicas da Província do Brasil*, *Poesias escolhidas* e *Antologia dos poetas brasileiros da fase romântica*.

1938

Nomeado pelo ministro Gustavo Capanema professor de literatura do Colégio Pedro II e membro do Conselho Consultivo do Departamento do Patrimônio Histórico e Artístico Nacional.
Publica *Antologia dos poetas brasileiros da fase parnasiana* e o ensaio *Guia de Ouro Preto*.

1940

Publica *Poesias completas* e os ensaios *Noções de história das literaturas* e *A autoria das "Cartas chilenas"*.
Eleito para a Academia Brasileira de Letras.

1941

Exerce a crítica de artes plásticas em *A Manhã*, do Rio de Janeiro.

1942

Eleito para a Sociedade Felipe d'Oliveira. Organiza *Sonetos completos e poemas escolhidos*, de Antero de Quental.

1943

Nomeado professor de literatura hispano-americana na Faculdade Nacional de Filosofia. Deixa o Colégio Pedro II.

1944

Publica uma nova edição ampliada das suas *Poesias completas* e organiza *Obras poéticas*, de Gonçalves Dias.

1945

Publica *Poemas traduzidos*.

1946

Publica *Apresentação da poesia brasileira*, *Antologia dos poetas brasileiros bissextos contemporâneos* e, no México, *Panorama de la poesía brasileña*.
Conquista o Prêmio de Poesia do IBEC.

1948

Publica *Mafuá do malungo: jogos onomásticos e outros versos de circunstância*, em edição fora de comércio, um novo volume de *Poesias escolhidas* e novas edições aumentadas de *Poesias completas* e *Poemas traduzidos*.
Organiza *Rimas*, de José Albano.

1949

Publica o ensaio *Literatura hispano-americana*.

1951

A convite de amigos, candidata-se a deputado pelo Partido Socialista Brasileiro, mas não se elege.
Publica nova edição, novamente aumentada, das *Poesias completas*.

1952

Publica *Opus 10*, em edição fora de comércio, e a biografia *Gonçalves Dias*.

1954

Publica as memórias *Itinerário de Pasárgada* e o livro de ensaios *De poetas e de poesia*.

1955

Publica *50 poemas escolhidos pelo autor* e *Poesias*. Começa a escrever crônicas para o *Jornal do Brasil*, do Rio de Janeiro, e *Folha da Manhã*, de São Paulo.

1956

Publica o ensaio *Versificação em língua portuguesa*, uma nova edição de *Poemas traduzidos* e, em Lisboa, *Obras poéticas*.
Aposenta-se compulsoriamente como professor de literatura hispano-americana da Faculdade Nacional de Filosofia.

1957

Publica o livro de crônicas *Flauta de papel* e a edição conjunta *Itinerário de Pasárgada / De poetas e de poesia*.
Viaja para Holanda, Inglaterra e França.

1958

Publica *Poesia e prosa* (obra reunida, em dois volumes), a antologia *Gonçalves Dias*, uma nova edição de *Noções de história das literaturas* e, em Washington, *Brief History of Brazilian Literature*.

1960

Publica *Pasárgada*, *Alumbramentos* e *Estrela da tarde*, todos em edição fora de comércio, e, em Paris, *Poèmes*.

1961

Publica *Antologia poética*. Começa a escrever crônicas para o programa *Quadrante*, da Rádio Ministério da Educação.

1962

Publica *Poesia e vida de Gonçalves Dias*.

1963

Publica a segunda edição de *Estrela da tarde* (acrescida de poemas inéditos e da tradução de *Auto sacramental do Divino Narciso*, de Sóror Juana Inés de la Cruz) e a antologia *Poetas do Brasil*, organizada em parceria com José Guilherme Merquior. Começa a escrever crônicas para o programa *Vozes da cidade*, da Rádio Roquette-Pinto.

1964

Publica em Paris o livro *Manuel Bandeira*, com tradução e organização de Michel Simon, e, em Nova York, *Brief History of Brazilian Literature*.

1965

Publica *Rio de Janeiro em prosa & verso*, livro organizado em parceria com Carlos Drummond de Andrade, *Antologia dos poetas brasileiros da fase simbolista* e, em edição fora de comércio, o álbum *Preparação para a morte*.

1966

Recebe, das mãos do presidente da República, a Ordem do Mérito Nacional.

Publica *Os reis vagabundos e mais 50 crônicas*, com organização de Rubem Braga, *Estrela da vida inteira* (poesia completa) e o livro de crônicas *Andorinha, andorinha*, com organização de Carlos Drummond de Andrade.

Conquista o título de Cidadão Carioca, da Assembleia Legislativa do Estado da Guanabara, e o Prêmio Moinho Santista.

1967

Publica *Poesia completa e prosa*, em volume único, e a *Antologia dos poetas brasileiros da fase moderna*, em dois volumes, organizada em parceria com Walmir Ayala.

1968

Publica o livro de crônicas *Colóquio unilateralmente sentimental*.
Falece a 13 de outubro, no Rio de Janeiro.

BIBLIOGRAFIA BÁSICA SOBRE MANUEL BANDEIRA

ANDRADE, Carlos Drummond de. Entre Bandeira e Oswald de Andrade. In: _____. *Tempo vida poesia*: confissões no rádio. Rio de Janeiro: Record, 1986.

_____. Manuel Bandeira. In: _____. *Passeios na ilha*: divagações sobre a vida literária e outras matérias. Rio de Janeiro: Organização Simões, 1952.

_____ et al. *Homenagem a Manuel Bandeira*. Rio de Janeiro: Typ. do *Jornal do Commercio*, 1936. 2. ed. fac-similar. São Paulo: Metal Leve, 1986.

ANDRADE, Mário de. A poesia em 1930. In: _____. *Aspectos da literatura brasileira*. 5. ed. São Paulo: Martins, 1974.

ARRIGUCCI JR., Davi. A beleza humilde e áspera. In: _____. *O cacto e as ruínas*: a poesia entre outras artes. 2. ed. São Paulo: Duas Cidades/Editora 34, 2000.

_____. Achados e perdidos. In: _____. *Outros achados e perdidos*. São Paulo: Companhia das Letras, 1999.

_____. *Humildade, paixão e morte*: a poesia de Manuel Bandeira. São Paulo: Companhia das Letras, 1990.

_____. O humilde cotidiano de Manuel Bandeira. In: SCHWARZ, Roberto (Org.). *Os pobres na literatura brasileira*. São Paulo: Brasiliense, 1983.

BACIU, Stefan. *Manuel Bandeira de corpo inteiro*. Rio de Janeiro: José Olympio, 1966.

BARBOSA, Francisco de Assis. *Manuel Bandeira, 100 anos de poesia*: síntese da vida e obra do poeta maior do Modernismo. Recife: Pool, 1988.

_____. Manuel Bandeira, estudante do Colégio Pedro II. In: _____. *Achados do vento*. Rio de Janeiro: Ministério da Educação e Cultura/Instituto Nacional do Livro, 1958.

BEZERRA, Elvia. *A trinca do Curvelo*: Manuel Bandeira, Ribeiro Couto e Nise da Silveira. Rio de Janeiro: Topbooks, 1995.

BRASIL, Assis. *Manuel e João*: dois poetas pernambucanos. Rio de Janeiro: Imago, 1990.

BRAYNER, Sônia (Org.). *Manuel Bandeira*. Rio de Janeiro: Civilização Brasileira; Brasília: Instituto Nacional do Livro, 1980.

CANDIDO DE MELLO E SOUZA, Antonio. Carrossel. In: _____. *Na sala de aula*: caderno de análise literária. São Paulo: Ática, 1985.

_____; MELLO E SOUZA, Gilda de. Introdução. In: BANDEI-RA, Manuel. *Estrela da vida inteira*: poesias reunidas. Rio de Janeiro: José Olympio, 1966.

CARPEAUX, Otto Maria. Bandeira. In: _____. *Ensaios reunidos*: 1942-1968. Rio de Janeiro: UniverCidade/Topbooks, 1999.

_____. Última canção – vasto mundo. In: _____. *Origens e fins*. Rio de Janeiro: Casa do Estudante do Brasil, 1943.

CASTELLO, José Aderaldo. Manuel Bandeira – sob o signo da infância. In: _____. *A literatura brasileira*: origens e unidade. São Paulo: Edusp, 1999. v. 2.

COELHO, Joaquim-Francisco. *Biopoética de Manuel Bandeira*. Recife: Massangana, 1981.

_____. *Manuel Bandeira pré-modernista*. Rio de Janeiro: José Olympio; Brasília: Instituto Nacional do Livro, 1982.

CORRÊA, Roberto Alvim. Notas sobre a poesia de Manuel Bandeira. In: _____. *Anteu e a crítica*: ensaios literários. Rio de Janeiro: José Olympio, 1948.

COUTO, Ribeiro. *Três retratos de Manuel Bandeira*. Organização de Elvia Bezerra. Rio de Janeiro: Academia Brasileira de Letras, 2004.

ESPINHEIRA FILHO, Ruy. *Forma e alumbramento*: poética e poesia em Manuel Bandeira. Rio de Janeiro: José Olympio/ Academia Brasileira de Letras, 2004.

FONSECA, Edson Nery da. *Alumbramentos e perplexidades*: vivências bandeirianas. São Paulo: Arx, 2002.

FREYRE, Gilberto. A propósito de Manuel Bandeira. In: _____. *Tempo de aprendiz*. São Paulo: Ibrasa; Brasília: Instituto Nacional do Livro, 1979.

_____. Dos oito aos oitenta. In: _____. *Prefácios desgarrados*. Rio de Janeiro: Cátedra; Brasília: Instituto Nacional do Livro, 1978. v. 2.

_____. Manuel Bandeira em três tempos. In: _____. *Perfil de Euclides e outros perfis*. 2. ed. aumentada. Rio de Janeiro: Record, 1987. 3. ed. revista. São Paulo: Global, 2011.

GARBUGLIO, José Carlos. *Roteiro de leitura*: poesia de Manuel Bandeira. São Paulo: Ática, 1998.

GARDEL, André. *O encontro entre Bandeira e Sinhô*. Rio de Janeiro: Secretaria Municipal de Cultura/Departamento Geral de Documentação e Informação Cultural/Divisão de Editoração, 1996.

GOLDSTEIN, Norma Seltzer. *Do penumbrismo ao Modernismo*: o primeiro Bandeira e outros poetas significativos. São Paulo: Ática, 1983.

_____ (Org.). *Traços marcantes no percurso poético de Manuel Bandeira*. São Paulo: Humanitas, 2005.

GOYANNA, Flávia Jardim Ferraz. *O lirismo antirromântico em Manuel Bandeira*. Recife: Fundarpe, 1994.

GRIECO, Agrippino. Manuel Bandeira. In: _____. *Poetas e prosadores do Brasil*: de Gregório de Matos a Guimarães Rosa. Rio de Janeiro: Conquista, 1968.

GUIMARÃES, Júlio Castañon. *Manuel Bandeira*: beco e alumbramento. São Paulo: Brasiliense, 1984.

_____. *Por que ler Manuel Bandeira*. São Paulo: Globo, 2008.

IVO, Lêdo. *A república da desilusão*: ensaios. Rio de Janeiro: Topbooks, 1994.

_____. Estrela de Manuel. In: _____. *Poesia observada*: ensaios sobre a criação poética e matérias afins. 2. ed. São Paulo: Duas Cidades, 1978.

_____. *O preto no branco*: exegese de um poema de Manuel Bandeira. Rio de Janeiro: São José, 1955.

JUNQUEIRA, Ivan. Humildade, paixão e morte. In: _____. *Prosa dispersa*: ensaios. Rio de Janeiro: Topbooks, 1991.

_____. *Testamento de Pasárgada*. Rio de Janeiro: Nova Fronteira, 1980. 3. ed. São Paulo: Global, 2014.

KOSHIYAMA, Jorge. O lirismo em si mesmo: leitura de "Poética" de Manuel Bandeira. In: BOSI, Alfredo (Org.). *Leitura de poesia*. São Paulo: Ática, 1996.

LIMA, Rocha. *Dois momentos da poesia de Manuel Bandeira*. Rio de Janeiro: José Olympio, 1992.

LOPEZ, Telê Porto Ancona (Org.). *Manuel Bandeira*: verso e reverso. São Paulo: T. A. Queiroz, 1987.

MARTINS, Wilson. Bandeira e Drummond... In: _____. *Pontos de vista*: crítica literária 1954-1955. São Paulo: T. A. Queiroz, 1991. v. 1.

_____. Manuel Bandeira. In: _____. *A literatura brasileira*: o Modernismo. São Paulo: Cultrix, 1965. v. 6.

MERQUIOR, José Guilherme. O Modernismo e três dos seus poetas. In: _____. *Crítica 1964-1989*: ensaios sobre arte e literatura. Rio de Janeiro: Nova Fronteira, 1990.

MILLIET, Sérgio. *Panorama da moderna poesia brasileira*. Rio de Janeiro: Ministério da Educação e Saúde/Serviço de Documentação, 1952.

MONTEIRO, Adolfo Casais. *Manuel Bandeira*. Rio de Janeiro: Ministério da Educação e Cultura/Serviço de Documentação, 1958.

MORAES, Emanuel de. *Manuel Bandeira*: análise e interpretação literária. Rio de Janeiro: José Olympio, 1962.

MOURA, Murilo Marcondes de. *Manuel Bandeira*. São Paulo: Publifolha, 2001.

MURICY, Andrade. Manuel Bandeira. In: _____. *A nova literatura brasileira*: crítica e antologia. Porto Alegre: Globo, 1936.

_____. Manuel Bandeira. In: _____. *Panorama do movimento simbolista brasileiro*. 2. ed. Brasília: Conselho Federal de Cultura/Instituto Nacional do Livro, 1973. v. 2.

PAES, José Paulo. Bandeira tradutor ou o esquizofrênico incompleto. In: _____. *Armazém literário*: ensaios. São Paulo: Companhia das Letras, 2008.

_____. Pulmões feitos coração. In: _____. *Os perigos da poesia e outros ensaios*. Rio de Janeiro: Topbooks, 1997.

PONTIERO, Giovanni. *Manuel Bandeira*: visão geral de sua obra. Tradução de Terezinha Prado Galante. Rio de Janeiro: José Olympio, 1986.

ROSENBAUM, Yudith. *Manuel Bandeira*: uma poesia da ausência. São Paulo: Edusp; Rio de Janeiro: Imago, 1993.

SENNA, Homero. Viagem a Pasárgada. In: _____. *República das letras*: 20 entrevistas com escritores. 2. ed. revista e ampliada. Rio de Janeiro: Gráfica Olímpica, 1968.

SILVA, Alberto da Costa e. Lembranças de um encontro. In: _____. *O pardal na janela*. Rio de Janeiro: Academia Brasileira de Letras, 2002.

SILVA, Beatriz Folly e; LESSA, Maria Eduarda de Almeida Vianna. *Inventário do arquivo Manuel Bandeira*. Rio de Janeiro: Fundação Casa de Rui Barbosa, 1989.

SILVA, Maximiano de Carvalho e. *Homenagem a Manuel Bandeira*: 1986-1988. Niterói: Sociedade Sousa da Silveira; Rio de Janeiro: Monteiro Aranha/Presença, 1989.

SILVEIRA, Joel. Manuel Bandeira, 13 de março de 1966, em Teresópolis: "Venham ver! A vaca está comendo as flores do Rodriguinho. Não vai sobrar uma. Que beleza!". In: _____. *A milésima segunda noite da avenida Paulista e outras reportagens*. São Paulo: Companhia das Letras, 2003.

VILLAÇA, Antonio Carlos. M. B. In: _____. *Encontros*. Rio de Janeiro/Brasília: Editora Brasília, 1974.

_____. Manuel, Manu. In: _____. *Diário de Faxinal do Céu*. Rio de Janeiro: Lacerda, 1998.

XAVIER, Elódia F. (Org.). *Manuel Bandeira*: 1886-1986. Rio de Janeiro: UFRJ/Antares, 1986.

XAVIER, Jairo José. *Camões e Manuel Bandeira*. Rio de Janeiro: Ministério da Educação e Cultura/Departamento de Assuntos Culturais, 1973.

Índice de primeiros versos

A aranha morde. A graça arranha 309

A casa era por aqui... 192

A Dama Branca que eu encontrei, ... 59

A doce tarde morre. E tão mansa.. 75

A janela estava aberta. Para o quê, não sei, mas o que entrava era
[o vento dos lupanares, de mistura com o eco que se partia nas
[curvas cicloidais, e fragmentos do hino da bandeira. 126

A lua ainda não nasceu. 58

A moita buliu. Bentinho Jararaca levou a arma à cara: o que
[saiu do mato foi o Veado Branco! Bentinho ficou pregado no
[chão. Quis puxar o gatilho e não pôde. 118

A nação elegeu-o seu Presidente.. 338

A noite... O silêncio... 89

A ONDA 269

A primeira vez que vi Teresa 117

A proa reta abre no oceano 256

A tarde agoniza.. 207

A tarde cai, por demais 29

A tua boca ingênua e triste 80

A vida é um milagre. 266

A vista incerta, ... 51

Aceitar o castigo imerecido,... 171

– Alô, cotovia! 232

Amanhã que é dia dos mortos 132

Amei Antônia de maneira insensata. 261

Amo-te quanto em largo, alto e profundo 296

Amor – chama, e, depois, fumaça... 26

Ana – Sant'Ana – principia. 310

Andorinha lá fora está dizendo:.. 121

Anunciaram que você morreu. 210

Aquela cor de cabelos.. 142

Aquele cacto lembrava os gestos desesperados da estatuária:... 103

As estrelas, no céu muito límpido, brilhavam, divinamente
[distantes..88

As rodas rangem na curva dos trilhos 164

As três mulheres do sabonete Araxá me invocam, me
[bouleversam, me hipnotizam. 141

Assim eu quereria o meu último poema 133

Atirei um limão-doce 335

Atrás destas moitas, ...225

Bão balalão, ...180

Bateram à minha porta, ...218

Beco que cantei num dístico 181

Beijo pouco, falo menos ainda. 214

Bélgica dos canais de labor perseverante, ...81

Belo belo belo, ...183

Belo belo minha bela 213

Bem que filho do Norte, ...267

Bembelelém 110

Branco, primeiro. De um branco..................................302

Buscou no amor o bálsamo da vida, ...212

Café com pão 154

Cai cai balão 92

Cara de cobra, ...146

Casa-Grande & Senzala, ...331

Cecília, és libérrima e exata...204

Chora de manso e no íntimo... Procura.......................41

Como em turvas águas de enchente, ...231

D. Janaína 153

Da América infeliz porção mais doente, ...259

Da outra vida, ...219

Dantes a tua pele sem rugas, ...227

De Ely e Lorita, brandos, nasce a branda 326

De onde me veio esse tremor de ninho 252

dever 263

Ditoso o vegetal, que é apenas sensitivo, ...291

Dizem os lábios 312

Dorme, dorme, dorme... 247

Dorme, meu filhinho, ...184

Duas Marias: Cristina 314

Duas vezes se morre: 239

Em minha sepultura, ... 299

Enfunando os papos, ... 46

Entre a turba grosseira e fútil.. 66

Entre estas Índias de leste 139

És grande e bela, como as deusas e as esfinges 325

És na minha vida como um luminoso................................... 61

Escudo vermelho nele uma Bandeira 193

Escuta, eu não quero contar-te o meu desejo........................ 131

Escuta o gazal que fiz, ... 186

Espanha no coração: 208

Espelho, amigo verdadeiro, ... 168

Esta estrada onde moro, entre duas voltas do caminho,............ 86

Esta manhã tem a tristeza de um crepúsculo. 40

Esta minha estatuazinha de gesso, quando nova 90

Estás em tudo que penso,.. 187

Estavas bem mudado. 249

Este fundo de hotel é um fim de mundo!............................... 238

Estou farto do lirismo comedido 105

Estranha volta ao lar naquele dia!....................................... 250

Eu estava contigo. Os nossos dominós eram negros, e negras
[eram as nossas máscaras. 64

Eu faço versos como quem chora 22

Eu quero a estrela da manhã.. 137

Eu quis um dia, como Schumann, compor 67

Eu vi os céus! Eu vi os céus! 63

Eu vi uma rosa.. 190

Eunice meiga,... 319

Eurico Alves, poeta baiano, ... 199

Excelentíssimo General.. 337

Excelentíssimo Prefeito.. 333

Febre, hemoptise, dispneia e suores noturnos. 104

Fim de tarde. 248

Fiz tantos versos a Teresinha... 148

FLABELA... 268

Francisca, Francisca,.. 316

Francisca, me dá 315

Frescura das sereias e do orvalho, ... 169

Helena Maria: 322

Ingênuo enleio de surpresa, ... 35

Irene preta 127

Irmã – que outra expressão, por mais que a tente 274

Já bica o estorninho a sorva vermelha – 290

Jacqueline morreu menina. 152

Jardim da pensãozinha burguesa. 102

João Gostoso era carregador de feira livre e morava no morro

[da Babilônia num barracão sem número 116

Joaquim, a vontade do Senhor é às vezes difícil de aceitar. 253

Louvo o Padre, louvo o Filho, ... 270

Mais te amo, ó poesia, quando 317

Mangue mais Veneza americana do que o Recife 108

Mar que ouvi sempre cantar murmúrios 78

Marcus Vinicius 328

Marinheiro triste 144

Mas para quê 200

Meu caro Rui Ribeiro Couto, a mocidade 277

Meu novo quarto 241

Meus amigos, meus inimigos, ... 280

Mha senhor, com'oje dia son, ... 167

Minh'alma estava naquele instante 223

Minha grande ternura 281

Misael, funcionário da Fazenda, com 63 anos de idade, ... 156

Molha em teu pranto de aurora as minhas mãos pálidas. 62

Morrer. 173

Muitas vezes a beira-mar 327

Murmúrio d'água, és tão suave a meus ouvidos... 76

Na calada 278

Na feira livre do arrabaldezinho 95

Na sombra cúmplice do quarto, ... 71

Não pairas mais aqui. Sei que distante 262

Não permita Deus que eu morra 323

Não posso crer que se conceba 49

Não sabemos como era a cabeça, que falta, ... 289

Não te posso dar flor nem fruto. Folha ou galho, ... 311

Nas ondas da praia 143

No balanço das águas, ... 255

No dia 5 de dezembro de 1791 Wolfgang Amadeus Mozart
[entrou no céu, como um artista de circo, fazendo piruetas
[extraordinárias sobre um mirabolante cavalo branco. 175

No ermo da mata o som da trompa ecoa, ... 301

No pátio a noite é sem silêncio. 236

Noite morta. 91

O arranha-céu sobe no ar puro lavado pela chuva 215

O córrego é o mesmo, ... 189

O homem já estava deitado 205

O major morreu. 120

O menino dorme. 72

O nosso menino 201

O oficial do registro civil, o coletor de impostos, o mordomo
[da Santa Casa e o administrador do cemitério de S. João
[Batista 119

O preto no branco, ... 172

O que eu adoro em ti, ... 84

O que não tenho e desejo 185

O que tu chamas tua paixão, ... 31

O rapaz chegou-se para junto da moça e disse: 128

O relento hiperestesia 56

O seu olhar varou-me a alma abismada, ... 287

O sol é grande. Ó coisas 235

O sorriso escasso, ... 237

O vento varria as folhas, ... 177

O violoncelista estava a meio do Concerto de Schumann 125

Oh Senhor, faze de mim um instrumento da tua paz: 288

Ondas da praia onde vos vi, ... 166

Os aguapés dos aguaçais 94

Os cavalinhos correndo, ... 157

Os meninos carvoeiros 87

Os poucos versos que aí vão, ... 25

Ouro branco! Ouro preto! Ouro podre! De cada 163

Ovalle, irmãozinho, diz, *du sein de Dieu où tu reposes*, ... 257

Paisagens da minha terra, ... 202

Pálidas crianças.. 158

Para cá, para lá... 55

Parada do Lucas 176

Peras amarelas 295

Poeta sou; pai, pouco; irmão, mais. 217

Pois meu Deus nasceu para penar, ... 293

Por um lado te vejo como um seio murcho............................ 165

Pousa na minha a tua mão, protonotária. 216

Provinciano que nunca soube 330

Quando a Indesejada das gentes chegar 240

Quando a morte cerrar meus olhos duros.............................. 170

Quando estás vestida,.. 275

Quando eu tinha seis anos.. 107

Quando hoje acordei, ainda fazia escuro 198

Quando minha irmã morreu, ... 101

Quando n'alma pesar de tua raça.. 23

Quando o enterro passou.. 149

Quando o poeta aparece, ... 151

Quando olhada de face, era um abril. 260

Quando ontem adormeci 122

Quatro horas soaram. 294

Que delícia na mata o fio d'água 324

Que é de ti, melancolia?... 28

Que importa a paisagem, a Glória, a baía, a linha do
[horizonte? 140

Que silêncio enorme! 188

– Quem me busca a esta hora tardia? 242

Querem outros muito dinheiro; 271

Quero banhar-me nas águas límpidas 150

Quero beber! cantar asneiras 45

Raio de sol entre dois límpidos diamantes............................ 292

Raquel, angélica flor 321

Recebi o seu telegrama, ... 336

Recife 112

Rosa, ó pura contradição, volúpia.. 303

Santa Clara, clareai.. 243

Santa Maria Egipcíaca seguia 73

São três 300

Se queres sentir a felicidade de amar, esquece a tua alma. 224

Ser como o rio que deflui 221

Sino de Belém, ...82

Só é meu 304

Só mesmo um santo 320

Sonhei ter sonhado 234

Sou bem-nascido. Menino, ...21

Teresa você é a coisa mais bonita que eu vi até hoje na minha
[vida, inclusive o porquinho-da-índia que me deram quando eu
[tinha seis anos. 124

Teu corpo claro e perfeito, ...33

Teu corpo dúbio, irresoluto 273

Teu nome, voz das sereias, ...318

Teus pés são voluptuosos: é por isso 251

Torna a meu leito, Colombina! 53

Tu não estás comigo em momentos escassos: 36

Tu que penaste tanto e em cujo canto 24

Tudo quanto é puro e cheira: 313

Um obelisco monolítico é a verdade nua em praça pública. 339

Uma, duas, três Marias, ...178

Uma noite, ...285

Uma pesada, rude canseira 37

Uns tomam éter, outros cocaína. 99

Vamos viver no Nordeste, Anarina. 197

Vejo mares tranquilos, que repousam, ...254

Vésper caiu cheia de pudor na minha cama 160

Vi uma estrela tão alta, ...174

Vinha caindo a tarde. Era um poente de agosto. 39

– Você me conhece? 264

Vou lançar a teoria do poeta sórdido. 222

Vou-me embora pra Pasárgada 129

Conheça outros livros de Manuel Bandeira na Global Editora:

Estrela da manhã

Estrela da manhã, publicado pela primeira vez em 1936, reafirma a posição assumida pelo poeta a partir de *Libertinagem*, seu livro anterior: a linguagem irônica alcançando a plenitude do coloquial, as nuanças de humor trágico, a insistência na poética de ruptura com a tradição, a exploração do folclore negro, o tema do "poeta sórdido", o interesse pela vertente social, a insuspeitada nostalgia da pureza.

O livro reúne alguns dos poemas mais importantes de Bandeira, a começar pelo que dá título ao livro, que se inicia pela quadra: "Eu quero a estrela da manhã/ Onde está a estrela da manhã?/ Meus amigos meus inimigos/ Procurem a estrela da manhã", e termina com o apelo doloroso: "Procurem por toda parte/ Pura ou degradada até a última baixeza/ Eu quero a estrela da manhã".

Em "Oração a Nossa Senhora da Boa Morte", o poeta revela sua religiosidade de sabor popular, tão brasileira. "Balada das três mulheres do sabonete Araxá" é uma variante moderna e um tanto irreverente de um poema famoso de Luís Delfino, "As três irmãs". Outros momentos marcantes do volume são o sintético e obsessivo "Poema do beco" ("Que importa a paisagem, a Glória, a baía, a linha do horizonte?/ – O que eu vejo é o beco"), "Momento num café", "Tragédia brasileira", "Conto cruel", "Rondó dos cavalinhos", "Marinheiro triste", estrelas de primeira grandeza da poesia brasileira.

Estrela da tarde

Estrela da tarde é livro da maturidade, publicado quando o poeta começava a meditar com mais profundidade na passagem desta vida para o outro lado do mistério e se mostrava convicto de ter cumprido bem a difícil missão de viver. Não é de se estranhar, pois, a presença mais ou menos obsessiva da morte, saudada com reverência, conformismo e curiosidade. "O meu dia foi bom, pode a noite descer,/ (A noite com os seus sortilégios)", sintetiza Bandeira no poema "Consoada".

Bandeira compõe criações que tem como tema grandes amigos perdidos como Mário de Andrade e Jayme Ovalle, o que, de certa forma, realça ainda mais a presença da morte. Símbolo da vida e da arte literária, revelando a paixão do poeta pela tradição, o soneto ocupa um lugar especial nesta coleção de poemas. Basta ler "Mal sem mudança" e "Sonho branco".

Ao lado da tradição, o poeta se arrisca em tentadoras experiências na mais radical corrente poética da época: o concretismo. Os poemas concretos do livro demonstram a lucidez e a curiosidade vivíssima de Bandeira. *Estrela da tarde*, com sua preocupação pela morte, simbolicamente se contrapõe a plenitude de vida de *Estrela da manhã*, encerrando um ciclo de extraordinária força criadora, com o poeta purificado em espírito, esperançoso de uma vida mais alta: "Sou nada, e entanto agora/ Eis-me centro finito/ Do círculo infinito/ De mar e céus afora./ – Estou onde está Deus".

Itinerário de Pasárgada

Em 1954, já sagrado e consagrado como grande poeta, Manuel Bandeira voltou os olhos para o passado em busca do tempo perdido, de suas experiências e miragens e, em particular, de sua Pasárgada, espécie de palavra mágica que o acompanhou por toda a vida. Roteiro de uma vida, revivescência do passado, *Itinerário de Pasárgada* não é um livro de memórias no sentido tradicional. Franklin de Oliveira observou que se trata da "primeira biografia estritamente literária que se publica no Brasil – história da formação de uma inteligência poética e não apenas relato de uma vida de poeta".

Em passagens emocionantes, Bandeira relembra momentos de sua infância no Recife e de sua mocidade no Rio de Janeiro. Preciosos também são seus comentários a respeito das amizades que mais lhe deram alegrias e sobre as leituras que mais agiram sobre sua formação de escritor. Igualmente dignos de destaque são os trechos nos quais o poeta tece considerações sobre seus livros, desnudando para o leitor as relações que o criador cultivou em relação às suas criaturas.

Esse itinerário poético, tal como o roteiro de sua vida, deu muitas voltas, que o memorialista evoca com graça e a insuperável simplicidade de seu estilo, desvendando para o leitor as mil e uma seduções de seu mundo, de sua Pasárgada.

Libertinagem

De todos os volumes de poesia que Manuel Bandeira publicou em vida, o mais emblemático é este *Libertinagem*. Editado em 1930, *a posteriori* de *A cinza das horas* e *Carnaval*, é onde o poeta pernambucano melhor demonstra cumprir sua missão na poesia brasileira, ligar o Parnasianismo ao Modernismo, ser o condutor da transição do verso metrificado e rimado ao livre. O verso livre em que o poeta inova é despido de convencionalismos. Sua musicalidade e coloquialidade, sua forma simples de dizer o complexo fazem o diferencial que caracteriza sua linguagem.

Libertinagem condensa a maioria dos textos pelos quais se eternizou o grande poeta. "Vou-me embora pra Pasárgada", por exemplo, peça pela qual se criou o lugar onírico mais visitado da poesia nacional, essa Pasárgada incrustada no imaginário de toda a geração que sucedeu o Modernismo, é o grande refúgio dos poetas contemporâneos. É também de *Libertinagem* que consta o admirável poema "Pneumotórax", onde se encontra o verso talvez mais amargamente irônico de toda a poesia em língua portuguesa: "A única coisa a fazer é tocar um tango argentino". Momentos antológicos da literatura brasileira, aquela que consta da grade do ensino fundamental e médio, indispensável à formação da identidade nacional: "Evocação ao Recife", "Poema de Finados", "O último poema", "Porquinho-da-Índia", "Irene no Céu", além de dois poemas escritos originalmente em francês, idioma que o poeta dominava.

Os textos são impregnados de um lirismo melancólico, amargo, desesperançado, a raiz dessa morbidez num profundo Romantismo que atravessa o Parnasianismo no qual o poeta nasce, avança no Simbolismo e segue até o advento do Modernismo. Um livro essencial, porque ele próprio é antologia, e que vale ser lido como documento histórico e pelo prazer dos poemas.

Lira dos cinquent'anos

Esta *Lira dos cinquent'anos* veio a lume quando o poeta Manuel Bandeira já contava bem mais que tal idade, em 1944. Ele nascera em 1886. Surgiu como uma coletânea autônoma inserida no contexto da antologia *Poesias completas*. Constituem uma produção da maturidade do poeta, já em pleno domínio do verso livre, contudo sem abandonar o metro eventual e a forma clássica que reinventou.

Bandeira foi desenganado pelos médicos aos 18 anos, portador de uma tuberculose, grande mal do tempo de sua juventude. A poesia operou-lhe o milagre da sobrevivência e a maravilha do rejuvenescimento, pelo que, à medida que avançava nos anos, se ia tornando mais livre, seja no verso, seja na forma de se relacionar com a vida. Se nos primórdios de sua produção fazia "versos como quem morre", no tempo pós primeiro meio-século falava em "aceitar o castigo imerecido/não por fraqueza, mas por altivez".

Abnegado no cuidado de si mesmo, o poeta travou com a doença e a morte iminente uma batalha em que sempre se postou de forma humilde, reconhecendo o mal que o vitimava e não o afrontando, antes aceitando e fazendo com ele um surdo pacto. Com isso, o menino dos pulmões lesionados só veio a morrer, e de causa diversa, aos 82 anos. A perspectiva do fim pautou-lhe a produção literária, incutindo-lhe uma grandeza que fez desenvolver sua ironia e humor amargo. Temperados pela doçura de seu espírito, resultaram a construção do maior poeta lírico do Brasil no século XX.

Livro da maturidade, perde talvez em viço aos anteriores volumes, onde se inscrevem as grandes páginas da produção bandeiriana. Em contrapartida, traz obras antológicas, qual o primeiro "Belo-Belo", ou "A última canção do beco".